JN077644

Catch the Clear and Present Liberty

脱近代の自由

——いまそこにある自由をつかめ

そしお＋さいこ・談

大窪一志／編

同時代社

未来を消費されてしまった若者たちのために

For the young whose future has been consumed

編者まえがき

一、本書はインターネット上の『単独者通信』に二〇一四年八月から二〇一七年八月まで一九回にわたって掲載された対談「社会の皮膚、社会の内臓」での、自由というテーマに関わる部分の発言から、対談者の間で意見が一致している箇所を抜き出して編集したものです。また、本書をまとめるにあたって、自由に関するまとめの対談をおこない、これも同じような方法で編集し、【終章】として掲載いたしました。

二、対談者は、対談時六〇代後半で哲学・社会学を学んだ著述業のそしお（Socio）さんと、対談時三〇代で精神分析と臨床心理学に詳しいクリエイターのさいこ（Psycho）さんです。編集した原稿を二人に渡して手を入れてもらい、両者ともに認めたものを最終稿としました。

三、発言の内容は、掲載当時のままで、編集時に修正をおこなってはいません。対談者の原稿手入れでも、その点は守られています。ただ、語調を話し言葉から書き言葉に直し、また前後のつながりをつけるために、あるいはカットした部分で理解に必要な箇所を補うために、内容の変更を伴わないかたちでつなぎの文を書き加えたり、文章を修正したりした箇所があります。

四、本文中の事項に関する注記は、編集をおこなった大窪一志がつけたものです。

五、対談全体は、『単独者通信』http://neuemittelalter.blog.fc2.com/ のカテゴリ「社会の皮膚、社会の内臓」をクリックしていただくと、全文閲覧することができます。

＊目次

第二章　平等と自由、公共と自由

第三章　資本と自由、労働と自由

第四章　人格と自由、固有性と自由

終章　ポスト・コロナ社会の自由

編者あとがき

はじめに　自由への入口

　人と人、人と物とをつなげるテクノロジーが飛躍的に進化したことで人間の活動を拡張するための媒介すなわちメディアのありかたも大きく変わりました。それにともなって、かつては力であったものがかえって足枷や負担に変わりつつあります。

　かつて社会の中心だった巨大組織が機能不全に陥るような事態が続発し、巨大であるが故に鈍重さを露呈し不活性化しています。その一方で、以前なら活躍の場を求めて中央を志向したはずの若い才能が逆に中央を嫌って分散し、各々が恰好の地を見つけてそこにネットワークを構築し、大した資金力もないのに驚異的な仕事をして世界中の注目を浴びることも頻発しています。

　そうした小集団や個人はまだ小さく形もはっきりしていませんが、情報と才能とバイタリティが自然に集まる中心となり、新しい社会の萌芽となっているのです。これに対して、巨大組織は巨大であることが命取りになって自滅しつつあることが日に日に明らかになってきています。にもかかわらず、いまだにそこに人と金が流入し鈍重さと不活性さを増す結果になっています。

　このように社会のありかたが大きく変わろうとしているのに、社会問題を論じる人たちの多くはこうした変化を「社会の崩壊」ととらえて嘆き、結局はそれを若者たちの「社会性」の低さやそれを生んでいる教育や啓発の不徹底のせいにしています。

　古いテクノロジーとメディアを前提に設計された会社組織や選挙制度などの諸々の社会システムに対して若者が「ピンと来ない」と反応するのは当然のことなのに、まるで「ピンと来るようになるべきだ」と言わんばかりの対応です。

　その一方で、若者は若者で、嫌気がさして完全な無関心を盾に居直るか、本当は実感がもてなくなっているのに、そこから目を背けて順応していこうとしたり、実感の無さから脱するために過激思想と一体化しようとしたりしている態度が見られます。

両者それぞれのこれらの対応に共通しているのは、「本当は実感がない」という事実を無視しようとし、実感にもとづく問題の再構成のために自問しようとしないことです。

この状況をどう変えていったらいいのでしょうか。

中央の舞台に群がって社会を語る言論が空疎化、または空疎な過激化をしていくなかで、そこから離れて自問しようとする言葉には新しい社会性の模索が潜在するようになっています。その模索においては、各々が自分の問題を自分の実感から考えているのに、それがまったく違う問題を考えようとしている別の人間の参考になる関係が生まれています。

多くの問題関心＝インタレストを整理して追求を効率化するために設定された普遍的な枠組みがどんどん形骸化して生産性を落としていく一方で、このように当事者が自分自身のために作り出した仕組みが生産性を向上させ、固有性をもったままネットワークを自生させるようになっているのです。公教育を通じてあたえられたワンセットの社会性をインストールしていた時代が衰退して、自前で構築したシステム同士が協働可能になってきて、新しい社会性が育まれているのです。

自分の場で考えて構築することの方が大切であり、かえってそれが他者と結びつくきっかけとなっているのです。いま考えるべき自由のイメージがここにあります。それは「お金さえあれば何でも買える」といった〈選択する自由〉ではなく、「自分の領域を自分で作っていく力」による〈創造の自由〉を指すのです。そこへの入口はどんな些細なことでも実感をもって自分の事として考えようとする人間には常に開かれています。

いまそこにある自由をつかもう。

そしお＋さいこ

序章

脱近代の自由を求めて

近代の終焉を迎えて

いま求められている自由の問題を考える前提として、いまの世界状況を考えてみることから始めたいと思います。それは、これからの社会における自由を考えるには、近代の自由観念の限界と可能性を見極めることが不可欠だと思うからです。始めからいやにしかつめらしい話になりますが、ご勘弁ください。

一九九五年くらいから、近代社会原理が通用しない状況が全世界的に現れるようになってきて、やがてそれが本格的に定着してきました。それで、二〇〇五年くらいから「近代の終焉」「新しい中世の始まり」という見方が日本でもいろいろなかたちで現れるようになってきました。

しかし、現代社会が従来のやりかたでハンドリングできなくなってきている事態には新しい未知の社会形成が始まっているという側面があるのに、それを単なる「混乱」や「不安定」と考えて、その混乱や不安定を公論の確立によって整序しようという傾向が当時の日本社会では支配的でした。このようなかたちで普遍的に通用する公論を立てようとすると、いまの時点では、近代の公共性、近代的な意味におけるパブリックなものを枠組とせざるをえませんから、それに制約されてしまい、それら新しいと見えるものは旧来の秩序のなかに回収されなければならないとする保守的な立場におちいっていかざるをえないのです。

そういう枠からまず脱しなければ始まらない、と僕らは考えています。

僕らは、先人が考えたこと、他人が考えたことから学ぶことが必要だけれども、そのときに、その問題を自分なりに、自分のセンスと言葉で考えることから始めなければならないのだと思います。

もしそれまで考えたことのない問題を先人や他人が取り上げているのに突き当たったら、そこから学ぶ前に、まず自分で考えてみなければならないのだと思います。以下の考察は、僕らが乏しい能力をふりしぼって自分で考えたことをもとにしています。先人が考えたこと、他人が考えたことも自分で考え直すことから始めました。

すでにみんなが認めあっている考えをなぞるだけではだめだということは、いま必要とされているのはギャランティ型の論説ではなくて、ベストエフォート型の論説だということです[*]。つまり、必要なのは、すでに確立されている、何でもそれに依拠すれば説明できるし納得がゆくような包括的な公論を当てはめることではなく、具体的な部分での活発な試行錯誤の方なのだと思うのです。この「ギャランティ型ではなくてベストエフォート型で」というのは、新しい社会をはらんでいる今日の社会を見るうえで、とても重要な観点だと思います。

＊ データ通信関係の用語として「ギャランティ型」と「ベストエフォート型」という言葉が使われています。そこでいう「ギャランティ」とは、英語の「保証」を表すGuarantyで、ギャランティ型の通信とは、通信速度やサーヴィスの品質（クオリティ・オブ・サーヴィス）が一括して保証されるものを言います。また、「ベストエフォート」とは、Best Effortつまり「最大限の努力」を意味し、ベストエフォート型の通信とは、最大限の通信速度としては数値が決められているがレートが保証されるわけではない品質非保証型サーヴィスをいいます。

法制度でも「ギャランティ型」と「ベストエフォート型」という言葉が使われています。成文法を重視する大陸法は、一括保証志向が強い「ギャランティ型」であるのに対して、判例法である英米法は、最低限のルールの基盤の上で、それぞれが最大限の努力をすることが前提とされている「ベストエフォート型」であるといえます。

コンピュータ科学者の坂村健さんが挙げている例では、上下水道のシステムは、東京都水道局などがすべての責任をもって、上流で水を採るところから、蛇口をひねって水が出るまで、ＪＷＷＡ（日本水道協会規格）の規格に準じたものしかつながせなくして、水道局が完全保証しています。水道はそれが必要なシステムなのです。これがギャランティ型です。これに対して、航空機の製造の場合、巨大で複雑なシステムを具えた航空機において、墜落したときの完全保証を求められたら、会社がつぶれてしまいます。これでは誰も航空機を造れないから、免責事項が必要になります。もちろん、墜落しないための最大限の努力はします、しかし完璧な保証はできないのです、これに賛同してくれないと飛行機は造れません、ということになります。この考え方がベストエフォート型です。

多様な関係者の最大限の努力の集合で実現されているのが脱近代へ向かうネットワーク社会であり、そこでは、ベストエフォート型の志向が共通基盤にならざるをえないのです。

この点をめぐって、坂村さんは、インターネットについて、「個々の参加者が自分の担当部分をそれぞれの収支モデルで納得してシステムを運用し、それが集まることで機能」し、「低コストで容易に広まるが、全体に対する責任者が不在で、性能に対する保証がない」システムであって、そこでの運用理念が「ベストエフォート」とされている、とのべています（『ユビキタス、ＴＲＯＮに出会う』p.219）。また、「デジタル・デバイドと自己責任」（二〇〇七年五月二〇日付毎日新聞朝刊）では、「自由度を求めれば求めるほどシステムはベストエフォート型になる。そういう時代の情報システムでは、技術設計と同程度かそれ以上に制度設計が重視される。技術ではカバーできない部分は制度でカバーする。こうした発想が必要なのだ」とのべています。

ギャランティ型公論の終わり

ギャランティ型の公論は、これまでいろいろな変遷を経て、いま最終的に行き詰まってしまっています。

まだ日本社会では近代化がどんどん進められていた一九六〇年代にダニエル・ベルがいった「イデオロギーの終焉」、それから八〇年代にフランスのポストモダンの人たちがいった「大きな物語の終焉」、これらはいずれもギャランティ型公論の終焉という意味合いをもったものだったと思います。それに頼ればすべてが包括的に説明できて、基本的にすべてのことに一定の解答をあたえることができるような論説体系はもう成り立たないよ、というのが「イデオロギーの終焉」の意味であり、「大きな物語の終焉」の意味であったと思うからです。すでにこれらの時期からギャランティ型公論への疑問が大きく提示されていたということです。

それから、ソ連崩壊のあとには、フランシス・フクヤマの『歴史の終わり』が出て、「大きな物語の終焉」と同じようなかたちで、ヘーゲル流の歴史哲学の上での終点を示すところに来たといって、いまやリベラルなデモクラシーの普遍化によって対立は解消したというようなことがいわれたわけです。

実は近代という時代においては、ある理想的状態へ向かう完成の歴史であるという観念が近代的な志向の本質のところにあるがために、かならず「これで本質においては終わりだ。あとはそれが実質において充たされていくだけだ」という結論が導かれるようになっているのです。だから、くりかえし「歴史＝物語（どっちもhistoire）の終わり」だという論が現れてくるわけです。

ところが、どの場合にも、そのあとになってイデオロギーも物語も復活したわけです。前よりもずっとショボいものとしてでしたけれど。やっぱり人々は依拠できる公論を求めて、どんなにショボいものになってしまっても、なぜかまた、みんなが納得していることになっている説明体系を再生産させてしまうのです。

しかし、そうやって前より貧弱なものとして再生産をくりかえしているうちに、たとえば人権だとか自由権だとかいっても、それが公論としていわれる場合には、その意味がすっかり空疎なものになってしまっているのが現状なのです。

なぜそうなってしまったのか。第二次世界大戦後だけを見てみますと、世界が対抗相補性によって成り立つものになってしまったというところにその原因があったと思うのです。大戦後それがはっきり出てくるのですけれど、実はその基は一九三〇年代にはすでに出てきていました。「対抗相補性」というのは、つまり、対立する二つの陣営が、おたがいに、おたがいに対するアンチの要素を抜きにしては正統性を主張できないようなイデオロギーによってかろうじて、それぞれの側の公論を成立させているという状態のことなのです。

「消極的代替物」と「対抗相補性」

イギリスの国際政治学者ヘドリー・ブルが *The Anarchical Society* という本（日本語訳『国際社会論』）で、近代国際社会のありかたをふりかえっているのですが、そのなかで「消極的代替物」（negative surrogate）という概念を使っています。どういうことかというと、ブルがいうには、近代世界というのは「普遍社会」「究極の状態」という理想の追求に邁進していくことを原動力として動き出したというのです。だから、フランス革命はフランス一国共和制ではなく「世界共和国」への発展をめざして、ナポレオン戦争を起こしてヨーロッパ共和国を実現しようとしました。その当時、カントはそれを熱烈に支持していたわけですが、それがすぐには実現しないことが明らかになると、『永遠平和のために』で、当面は「共和制国家・立憲君主国家の連合」という妥協的な形態に後退するわけです。この「世界共和国」に代わる「共和制国家・立憲君主国家の連合」といった存在をブルは「消極的代替物」(negative surrogate) と呼んでいるのです。

このようにして「世界共和国」の理想は挫折して、消極的代替物に代えられていったわけですが、これに対して、投げ棄てられた「普遍社会」「究極の状態」の理念を新しいかたちで立てたのは社会主義運動だったわけです。ヨーロッパ各地で連鎖的に起こった一八四八年革命を通じて、マルクスたち社会主義者は、ブルジョワジーはもはや近代市民革命を発展させることができなくなったとして、フランス革命以降の近代革命をプロレタリア革命として完遂する方向を打ち出したわけです。それが、いわゆる「永続革命」としてのプロレタリア世界革命、それによって成立する世界コミュニズム社会です。これが新しい「普遍社会」「究極の状態」として立てられたわけです。

このプロレタリア世界革命による世界コミュニズム社会は、第一次世界大戦を契機としたロシア革命によって実現の緒についたかに見えたのですが、やはり挫折してしまいます。それはスターリンによる「ソ連一国社会主義」プラス「ソ連を司令部とする世界共産党」(コミンテルン)という消極的代替物に代えられていったのです。

一方、第一次世界大戦は、ヨーロッパ近代精神の深刻な反省を呼び起こして、「近代の超克」論も登場したわけですが、そんななかにあっても「共和制国家・立憲君主国家の連合」という消極的代替物は、世界最初の国際平和維持機構である「国際連盟」というかたちで延命されるわけです。

ところが、ここでも安定は一時的なものにとどまって、「国際連盟」のなかからイタリアファシズムやドイツナチズムのような異物が生まれて、第二次世界大戦に入っていき、この大戦を通じて、「ソ連一国社会主義」＋「コミンテルン」と「反ファシズム・反ナチズム欧米連合」とが対抗相補的関係に立つようになります。

ここに、戦後国際秩序として、共和的・立憲的国家の連合＝「自由主義世界体制」と社会主義国家の連合＝「社会主義世界体制」が対立・対抗し合いながら相互補完的に分立することで安定がもたらされていったわけです。特に一九六〇年代からは米ソの「平和共存」体制が確立して、こうして、近代革命完遂の二つの消極的代替物が相補的対抗関係、対抗的相補関係に立つことで、どちらもが安定的に存続できる構造ができあがったというわけです。しかし、それはまた、近代革命の完遂を放棄した両者がおたがいに堕落しあっていく近代頽落の構造でもあったわけです。

長々と説明してきましたが、実際にはこれでもはしょりすぎで、かえってわかりにくくなったかもしれません。

戦後世代は、こういう第二次大戦後の「消極的代替物の対抗相補関係」を最初から生きてきたわけですが、そこでは、二つの価値が、大きいところでは自由主義・リベラリズムと共産主義・コミュニズムの対抗相補関係から始まって、小さいところでは学校のクラスや企業の職場での保守的なありかたと革新的なありかたに至るまで、一連の対抗関係がおたがいに対立することでみずからの正統性を主張するかたちで貫かれてきたわけです。それに規定されて、右翼と左翼とか、合理主義と非合理主義とか、そういうものどうしが、現実の場面では、おたがいに循環しあって相補い合うような対抗関係に入ったというふうに見ることもできます。

ところが、それもやがてもたなくなってきた。それがはっきりしたのがソ連崩壊で、その時点で、第二次大戦後の「消極的代替物の対抗相補関係」は終わりを告げたわけです。

ソ連崩壊後の世界の変貌

この終わりが近代の終わりの始まりになったのです。ソ連崩壊以前に世界を支配していた自由民主主義の正統性、それに対して反対していた平等社会主義の正統性、それらはどちらもおたがいに相手の非を唱えることによってかろうじて成立していたものだったのだということが、そのかたっぽが崩壊することで明らかになってしまったわけです。それで近代の延命装置がなくなってしまったのです。

この事態に関して、フランスのアラン・マンクという文明史家は、一九九四年に出した『新しい中世』(*Le Nouveau Moyen Age*)で、一九九一年のソ連崩壊によって「新しい中世」が始まったといっているのです。彼は、ソ連崩壊は実は米ソ帝国の崩壊の始まりを意味するもので、やがてアメリカ帝国の崩壊を引き起こすことになるだろうといっていて、それは古代ローマ帝国の崩壊と同じなんだというのです。だから、ローマ帝国が崩壊してヨーロッパ中世ができたように、いままた米ソ帝国が崩壊して「新しい中世」がやってくるというわけです。

イデオロギー対立の実質が実際には形骸化していても、冷戦という「現実」さえあれば、対外的にも対内的にもいろいろと理由づけができるし、何よりも冷戦の現実性によってイデオロギーの現実性が保証されているという関係がありました。そういう状態が終わってしまったというわけです。

このソ連崩壊は、アメリカの勝利によるものといわれましたけれど、かならずしもそうではないのです。アンドロポフ登場のときから*ソ連の変化をずっと見ていると、改革の中心にいるのはブレジネフ時代の側近、それもアンドロポフはじめKGB出身者が固めているということから、これはほんとうは旧権力主流の一部による統治方式の変更という色彩の強いものではないかと思われました。だから、ソ連崩壊のときにも、これはアメリカに崩壊させられたのではなくて、ソ連が対抗相補関係の損な役回りから下りようとした結果ではないか、と疑っていました。実際、そういう側面が強かったことが、のちに明らかになっています。**

＊　一九八二年一一月、当時のソ連の最高指導者ブレジネフが死去、代わってKGB（国家保安委員会）議長だったユーリー・アンドロポフが書記長に就任して権力の座に着きました。アンドロポフは国内改革に乗り出しましたが、病気のため充分な成果を挙げられないまま死去しました。だが、その改革構想は同郷の後輩として目をかけてきたミハイル・ゴルバチョフに受け継がれて、やがて全面的に展開されることになります。

＊＊　佐藤優＋宮崎学『国家の崩壊』（にんげん出版、二〇〇六年）pp.31~53の「ブレジネフ体制末期からゴルバチョフ登場まで」を参照。

だから、実際には、アメリカのほうも困っちゃったんだと思うのです。のちにフランスの歴史人口学者エマニュエル・トッドが、『帝国以後』（二〇〇二年）で二一世紀世界の状況について、「世界はアメリカを必要としていないが、アメリカは世界を必要としている」状況なんだといって、アメリカ帝国の衰退と崩壊を予測したわけですけれど、それは実はアメリカ独り勝ちといわれているころからあった状況なのです。

ソ連圏社会主義の政治的・軍事的プレゼンスがなくなれば、ヨーロッパ諸国にとってアメリカの政治的・軍事的プレゼンスは基本的に必要ないわけです。アメリカがヨーロッパ諸国を政治的・軍事的に従属させている理由がなくなってしまった。

そこで、アメリカは、ソ連圏社会主義に代わる世界規模の「自由世界の敵」をつくりだして、それを抑えるためにはアメリカが必要だということにしなければならなかったのです。[*]そこでもちだされたのがイスラームです。二〇〇一年の同時多発テロ以降、対テロリズム戦争が大々的に宣言されて、アフガン侵攻、その後、もともとアメリカが担いでいたフセインが悪の権化にされイラク戦争と進んでいったわけです。

＊ 当時、中国とは一九七二年の米中共同声明以来、友好関係にあり、アメリカ資本も中国に大幅に進出していて、中国をソ連に代わる「自由世界の敵」にすることはできない状態にありました。

それも、最初はキリスト教世界とイスラーム世界の文明の衝突のようなことがいわれていたのが、だんだんスケールダウンしていって、「テロリストを全世界で殲滅せよ」みたいな話になっていった。アメリカが支持している政府に対する反政府勢力が武装闘争をすればテロリストと呼ばれてしまう。それから、侵攻してくる外国軍隊と戦うゲリラ、パルチザン、レジスタンス、それらはみんなテロリストではない別の性格をもった存在なのに、みんなテロリストということにされてしまう。なんでもかんでもテロリストというひどい状態になってしまったわけです。そして、それを「国家対立」「戦争」に仕立て上げるためにブッシュ政権のころから「ならず者国家」(rogue state) という概念が使われるようになって、結局、いろんなものをごちゃまぜにして、事実上、アメリカに友好的でない国家はみんな「ならず者国家」だ、というようなめちゃくちゃな規定がされていったのです。

これは、イデオロギーそのものの問題というよりも、イデオロギーで生きていく時代が終わった後も、その構造と心性を引きずったままどんどん陳腐化していくしかない世界把握の問題のような気がします。「資本主義 vs. 共産主義」のようなわかりやすい対立軸を設けて世界情勢を描いてみせるやりかた、それを一つのテレビ番組にたとえるならば、「米ソ冷戦」という大人気ご長寿番組が終わってしまったのには時代の変化にともなう必然性があった。ところが業界の体質やセンスは相変わらずなので、新しい時代に対応したものを作ろうとしてもうまくいかず、結局のところ二番煎じ的な新番組をスタートさせることになる。終わるべくして終わった番組の二番煎じなので、スケールダウンはもとより、そこではすべてが陳腐化してしまう……そんな感じがします。でも、そういう装置以外に延命の手だてがなかったのだろうと思います。

底にあるメディアの変貌

いままで見てきたこととは別のこととして、ソ連が対抗相補関係から下りようとした背景には、生産や流通を媒介するメディアの変貌があったと思うのです。すでに一九六〇年代の終わりころから、「情報化社会」ということがいわれていて、それがそれまでの産業社会（インダストリアル・ソサエティ）を終わらせて、脱産業社会（ポスト・インダストリアル・ソサエティ）が到来するということがいわれていました。つまり、財貨の生産、サーヴィスの提供自体が情報によって左右されるようになっていくという社会のありかたの変化、それに対して、ソ連の国家指令型の経済、すべての情報をいったん中央に集中させて、それから分配していくというシステムでは、この変化に対応できない、ということになっていったわけです。そういうところから、すでに一九八〇年代半ばには、ブレジネフ体制のトップにいたブレーン集団のなかから、このシステムをなんとかしなければならないという志向が出てきていたわけです。

これは、もちろんソ連だけの問題ではなくて、世界中の社会システムが、国家や企業の官僚機構を媒介にしないで、個々に相互につながってやっていったほうが生産的なことができる、生産性も上がっていくという状態に変わっていこうとしていたのです。このときに、国家指令型のシステム、中央集権のシステムを売り物にしていたソ連は、そこにとらわれているとどんどん立ち遅れてしまう。そのことに気がついた人たちがブレジネフ体制のブレーン集団のなかから出てきたということです。

このような社会システムの変化は、その後もどんどん進んできたわけで、包括的イデオロギー体系、ギャランティ型の公論はもう必要ないし、そんなものにとらわれていると生産的なことができないという状態になってきたのも、そのせいなのです。このように、メディアの変化という流れ——その場合のメディアというのは、伝達メディアだけではなくて、経済的メディア、政治的メディアなどすべてをひっくるめたものですけれど——、そういうメディアの大きな変化が底流にあるということを見ておかなければならないと思うのです。

この変化がソ連崩壊の頃から一気に露出してきた「情報化社会」、すなわち「産業社会の終わり」「脱産業社会の到来」を僕らの意識の上にもたらしてきたのです。そして、この終焉と到来が近代社会原理を旧来のままに運用することを妨げる働きをしてきたのです。

N：Nの時代

いま、あらゆる領域におけるメディアが全面的に変わっていく時期にさしかかっています。伝達メディア、政治メディア、経済メディア……みんな大きく変わりつつあるのです。

メディアの発信者・受信者が単数か複数かで分けると、単数を1複数をNで表すと、発信者：受信者の型が、1：1、1：N、N：Nに分けられるわけですが、近代のメディアというのは圧倒的に1：N型でした。一人が多数に向かって発信する型です。だけど、いま、それが急速にN：Nにシフトしつつある。多数の個々が多数の個々に向かって発信する。また受信する。そして返信する。

これによって、新聞・テレビに代表されるマスメディアという1は、Nのなかに埋もれて凋落していっているのです。政治だってそうで、全国規模の大政党という1は、いま自民党が一時的に独り勝ちみたいになっているけれど、これも表だけで、全国政党というメディア全体がNのなかに埋もれようとしている。だから、政党支持率で見ると、「支持する政党なし」が圧倒的に多いわけです。

これまで当然のことのようにセンターを独占してきた1は、焦りながらもこの状況にどう対応していいかわからない。さっきもいったとおり、中央志向性の意味が逆転してしまった状況では、1は発信者Nをうまく取り込めない。そして、自分たちを経由せずに活動し活性化しつつあるN：Nの環境に対しては反感をもっている。そこには自分たちのみが従来の社会を牽引し代表してきたのだというアナクロな自尊心があるような気がします。

ちなみにこれは別に体制派のメンタリティに限った話ではなく、反体制派も体制派がもつ強力な1の発信力を奪って世界を変えようとしたり、自分自身が反体制の世界での1であることに固執したりする志向はまったく体制派と同じだと思います。体制と反体制は対立しつつも、あるところでは同じ根性を共有できる間柄で、両者はともに今の状況に対して似たような感情、アナクロ自尊心からくる軽蔑とイライラを多かれ少なかれもっているような気がします。

現代社会が従来のやりかたでハンドリングできなくなってきている事態には新しい未知の社会形成が始まっているという側面があるのに、それを単なる「混乱」や「不安定」と考えて公論の確立によってそれを整序しようというのは明らかに逆行だと思いますが、リーダーたちは依然としてそういう意味での「逆行」をやっているのが現状です。

しかし、新しい社会形成に関与できない指導的知識人は、すべて没落することになっていくでしょう。その淘汰がもう始まっているし、二〇一五年から二〇年にかけて、知識人にかぎらず、日本の旧来の近代的リーダーたちは、すべてこのN：Nの世界による淘汰の試練にさらされていくだろうと思います。*

＊　この発言は二〇一四年八月のものです。

個別の利害＝関心と集団的インタレストの形成

その問題に関して、集団的インタレストの形成という問題が重要だと思います。

集団的インタレストというのは、構成員の個別の具体的な利害＝関心（これがインタレストです）にもとづいているわけですが、それらの個別の利害＝関心の具体的な志向性をなにがしか抽象化したところに成り立つものであるわけです。そして、そのときの抽象化作用の実質がどのようなものになっているかという問題があるのです。

この抽象化作用、それによるインタレスト形成がうまくできているときには、「〇〇権」のような形で抽象化されたインタレストそのもののなかに、個別の利害＝関心の具体的な志向性、現場の生きた情報がしっかりとこめられています。そこでは抽象化されたタームをメディアにしながら実際には同時に生きた具体性の調整もおこなわれていくわけです。こうしたフィードバックと調整機能が果たされているかぎりにおいては、抽象的議論はけっして空疎なものには終わらないのです。

たとえば憲法九条の問題でも、六〇年安保のとき、沖縄返還のときと今年（二〇一四年）の集団的自衛権論議とをくらべたときに、防衛論議としてというよりも、日本社会の各階層、各社会集団のインタレスト、あるいは日本国民としてのインタレストにもとづく論議にどっちのほうがなっていたかというと、明らかに六〇年安保のときであり、沖縄返還のときであったわけです。

六〇年安保のときの防衛論議は、いまとくらべると、防衛問題プロパーで見れば、稚拙なものでした。でも、自分たちの利害＝関心、労働者なら労働者、学生なら学生が共通して懐いているインタレスト、そういうものが関わった論議は、いまにくらべればはるかに活発になされたのです。だから、個別の具体的な要求や意見と安保条約改定というポリシーが結びついた公論形成がなされた。沖縄返還のときも、六〇年安保のときほどではなかったけれど、沖縄が核兵器装備疑惑が強い米軍基地を置いたままで返還されることがどういう意味をもつのか、それが自分たちがいま生きている動機というか、生活のありかたの問題として論議されました。「青春と安保」ということが論議のテーマになったりしたのです。実際にそのなかにいた者は、それらのことがある程度までは自分たちのインタレストに即して論議されたし、現在にくらべれば比較にならないほど活発におこなわれたと思っています。

ある時代までは、各々が具体的な利害＝関心を抽象化させて普遍的なレベルで他者と議論することが活動の領域を拡大し個人が接することができる情報量を増やすことにつながっていました。ところが、いまは逆で、具体的な利害＝関心を抽象化させて普遍的なレベルにもっていくと、活動の範囲が茫漠としてとらえどころがなくなり、具体的な役立つ情報もそこからは入ってこなくなるのです。

人民主権・国民主権、基本的人権といった問題を採って考えてみても、かつては人民・国民の具体的な欲求・要求と、主権や人権といった観念がもつ意味との距離が近かったわけです。距離が近かったというより、そうした観念にフィードバックと調整機能が働いて、具体性の調整ができた。実際、これらの観念は中世社会のなかで興ってきた新興階級の欲求・要求をもとに立てられた理念だったわけです。だから、そこに根ざしているかぎり、主権論議・人権論議が具体的なものに支えられていて、生きたものになりえたわけです。

ところが、いまやそれが、すっかり乖離してしまった。主権・人権の理念と人民・国民の政治生活の実際との乖離を、抽象化作用によってむりやりに埋めることによってのみ、主権・人権をめぐる公論形成がなされている。これは、保守の側だけでなく、左派・市民主義・リベラルの側でも基本的に同じことをやっています。

近代精神のキアズマス、近代のめくりかえり

それは、「近代のめくりかえり」あるいは「近代精神のキアズマス」といった問題に関連しています。

すぐれた文明批評家のマーシャル・マクルーハンは『グーテンベルクの銀河系』のなかで「西欧個人主義のキアズマス」ということをいっています。[*] この「キアズマス」(chiasmus)というのは、「最後の相が最初の相のまったく逆の性格をあらわしてしまうこと」なのです。

マクルーハンは、こんなふうにいっているのです。

個性をかけがえのないものとして個人の尊厳を唱えた西欧個人主義は、万人がそれぞれにそうした尊厳を「所有」しているという思考様式のために——だと考えられます——、一面で平等を唱えることになっていって、その平等圧力の昂進のなかで、個性を表現しようとすると、かえって無個性な普遍的人間性の表現になっていってしまうというディレンマに陥っていったというのです。

これをキアズマス、つまり最初の相とまったく反対になってしまうことだというふうにマクルーハンは表現しているわけですけれど、これと同じことが、個人主義だけではなく、近代社会原理のすべてにわたって起こってきているのではないか、と思うのです。つまり、自由についていうなら、それぞれの個人が固有のかたちで追求していく具体的自由が、人類がもっている抽象的自由になってしまうという具合です。

＊ 西欧個人主義のキアズマスについて、マクルーハンは、『グーテンベルクの銀河系』のなかで、次のようにのべています（森常治訳 pp.421~422 ［ ］内は引用者）。

修辞法に、前後して述べられるふたつの対句のうち、後のほうの句を前の句の構成とはまったく逆の関係にする方法があり、それをキアズマスと呼ぶが、こうしたキアズマスはある過程が完全に発展しおえたときに現われるものである。つまり、最後の相が最初の相とはまったく逆の性格を現わすのだ。こうした心理的なキアズマス現象が大量に生じる典型的な例が西欧人の個人主義の追求であるといえよう。西欧人は、個人とはユニークな存在であるという観念を捨てながら、同時に、より激しく個性を求めたのである。十九世紀の芸術家たちは、十八世紀にあってはごく当然なものと受け入れられていたユニークな自我を大量に譲り渡してしまった。新しい集団［国民、大衆、人類といったものを指していると思われる］の圧力が個我を支えるにはあまりにも重たくのしかかってきたからである。ちょうどミルが自我を放棄しながらも同時に個性を求めて戦ったように、詩人や芸術家たちはただ無個性的に芸術作品を消費物質として消化する新しい大衆に小言をいいながらも、同時にそれと平行して芸術作品における無個性という観念にみずから惹きつけられていったのだった。大衆芸術の消費者があたらしい芸術形式によって芸術の制作過程に参加を促されはじめたとき、同様な逆転現象、つまり修辞学でいうキアズマスが発生したのだ。

ところが、この無個性化が窮極に達するかと思われた瞬間に、「あたらしい逆転」が生じたとマクルーハンはいっています。それは「象徴芸術の組み立てライン（assembly line）」が「『意識の流れ』方式によるあたらしい表現法」へと変質したことによってもたらされた、というのです（同前p.422）。この逆転は、われわれが「近代精神のキアズマス」をどのようにしてふたたび逆転せしめるかという課題に示唆をあたえているように思われます。


たとえば、憲法第九条の問題にしてもそうで、解釈改憲を積み重ねるたびに、当初の理念と懸け離れていって、解釈という抽象化作用によって、その懸隔を埋めつづけてきた結果、「戦後平和主義のキアズマス」が生まれてしまっているわけです。高度な武装をした自衛隊の存在が「戦力ではない」という解釈規定のみによって憲法第九条に適合するとされるということでこの条文が実質的に空洞化され反対物に転化してしまっているわけです。

だけど、最初はそれなりにわれわれの具体的な欲求・要求・志向性をもとにしてつくりあげた理念だったわけですから、その具体的な欲求・要求・志向性をもう一度、現状に合わせて鮮明にして、個人の利害＝関心、集団のインタレストの内容をグレードアップしていけば、それと理念とが媒介され陶冶されて、理念の抽象性が揚棄されるとともに、欲求・要求・志向性の個別性も揚棄されて

「具体的普遍」へと揚棄されていくだろう——戦後も一九六〇年代くらいまでの青年学生の多くはそんなふうに考えていたし、その方向で努力していたわけです。社会運動の主流もそういうものとしておこなわれていました。

一九六〇年代の日本社会では、確かに高度経済成長を通じて、戦後理念と社会実態との乖離がずいぶん進んだのですけれど、まだその距離をつめることはできるように思われたのです。だから、戦後民主主義は虚妄だといって否定する潮流も出てきていたわけだけれど、戦後理念を発展させることを追求していこうという潮流が多数派だったのです。

ところが、七〇年代、八〇年代にその距離、戦後理念と社会実態との距離は絶望的に開いてしまった。それは日本社会だけではなく、西欧社会においても感じられていたことでした。だから、それに対して、八〇年代終わりから九〇年代初めに、たとえばドイツ社会民主党（SPD）左派のように「再近代化」「近代の近代化」というようなことを考える潮流が出てきたわけです。[*] もともとの近代原理にそのままよりかかっていては乖離が進むばかりだ。だから、近代原理自体を改作しないとだめだ。ということで、自由、平等、友愛、主権、人権、社会権……みんな考え直して、概念を作り直そう。そんなことをやってみたんだけど、うまくいかなかった。

＊　例えばドイツ社会民主党（SPD）左派のオスカー・ラフォンテーヌは、一九八八年にSPD新綱領の論議を通じて *Der Gesellschaft zur Zukunft*（住沢博紀訳『国境を超える社会民主主義』現代の理論社、一九八九年）を著し、新自由主義が打ち出した「個人の自由」と鋭く対立するかたちで「新しい個人主義」を提起して、国

そして、当時の日本の「公論形成」というものは、そうした潮流が取り組もうとしていた「再近代化」「近代の近代化」なんてものは歯牙にもかけなかったわけです。一方では、サッチャリズムをはじめとする新自由主義、他方ではフランス直輸入のポストモダニズム、そういうものが席巻するなかで、「近代精神の再興」なんて、少なくとも日本ではまったく相手にされなかったのです。と同時に、それをよそに、憲法の解釈改憲ならぬ「近代原理の解釈改訂」はどんどん進んでいって、近代原理だとされているものを実践しようとすると、マクルーハンがいうように、最初の相、つまりもともとのありかたとはまったく逆の相、反対のありかたが現れてしまうことになっていった。これを僕らは「近代のめくりかえり」と呼んだわけです。旧来の自由を強調すると不自由が実質的に拡大し、旧来の平等を強調すると不平等が実質的に拡大し、旧来の友愛を強調する分断が実質的に拡大するという事態におちいってしまったわけなのです。かつて輝ける理念だった自由・平等・友愛が、いまではそういうものになってしまっていることを知らなければなりません。

新しい社会形成の萌芽に注目せよ

そういう変化のなかで、具体的な動因が抽象化されたインタレストというものに乗ると、その個人なり集団なりがもっている情報・才能・バイタリティがさらに活かせるようになるという時代がかつてあったとすると、いまは、その逆で、ただただ無内容で無力な容れ物に情報・才能・バイタリティが飲み込まれていくだけということになる感じがします。

才能は単なる事務処理能力とは違い、自分自身をいかんなく伸ばすことができる環境か否かを本能的に察知するところがあります。だから、そういうことを肌で感じている人たちは、いまの状況の下では、自分自身の情報・才能・バイタリティをインタレストへと抽象化する作用に乗せようとはけっしてしないのです。そういう態度を取ると、反社会的、非社会的のようにいわれますが、そんなダメダメな社会化にだれが乗れるかっていうことです。むしろ、そんな社会化を拒んだほうが自分自身の問題として社会と向き合うことができるのではないかと思います。

ところが、公論をやろうとしている人たちは、抽象化作用を仕切るポジションに就いて、そこに情報・才能・バイタリティが集中してくるようにして、そこに結集してきたものを審査して、権限と資源をあたえて仕事をさせる。それが役目なのです。そして、その審査、権限・資源付与、場の提供を通じて、結集してきた情報・才能・バイタリティを支配して、そこから搾取をおこなうのです。

だけど、当然のことながら、抽象化自体がいけないというわけではない。個人、個人がおかれているそれぞれの場における利害＝関心は、あくまで個別なものだし、特殊なものなのだから、それらがたがいに結びつかなければ社会は成り立たない。公認社会が成り立たないだけではなくて、実在社会も成り立たない。だから、抽象化は必要なんです。問題は、その抽象化のしかた、道具立てです。

いまは、それが一般的な抽象化——人類とか、市民とか、国民とか、大衆とか、そういうものに一般化してつなげていくもの——に全部吸い上げられてしまうものでしかなくなっている。自由も平等も友愛も、そういう一般性に吸収されていってしまう。そして、現在の状況に正面から向き合いながら、もっと具体的なものに近づいていって、旧来のものに代わる抽象化ができるような道具立てがまだできていない。だから、まず、旧い、いまとなってはまやかしの道具立てによる抽象化に乗るのはやめることが必要なんです。そして、それから、そうではない新しい道具立てをつくりだしていかなくてはいけない。

しかし、近代精神というものが人間を解放するというリアリティがまだあった時代からずっとそのことを追求してきた人たちと違って、若い世代の人たちにとってそういったものはすでに最初から致命的に空疎なものだったのではないかと思います。空疎なものであってもそれが唯一公認された社会性だからそれにみずからを乗せなければならないという面と、「いのちの大切さ」みたいなほとんど何も言っていないに等しいほどに空疎だからこそ逆にいいように使えるという面とが近代精神のお題目にはあると思いますが、みずからのセンスとアイディアのなかに新しい時代を胚胎させているような才能がそんなものを通じて自己を表現しようとするとは思えませんし、実際にそんなことをやろうともしていません。彼らはいまむしろ非常に具体的な、ときとして些末に見えるテクニカルな問題の方に関心があるのではないでしょうか。

近代の社会においては、情報・才能・バイタリティをなんらかのセンターにいったん集中させて、そこで資格審査、認証をおこなったうえで、これらを組織するというやりかたをとってきたわけです。だが、いまはもうそういうやりかたでは情報・才能・バイタリティを殺すばかりで活かせなくなってきた。というよりも情報・才能・バイタリティの方が本能的にそうした集中を迂回するようになってきている。逆に、そんなセンターを通さなくても、情報・才能・バイタリティがおたがいに結びついて、創造的なことができるようになってきたわけです。そういうものが、インターネット上のSNSのような新しいメディアを通じて結びついて、クラウドファンディングやクラウドソーシングを通じて資源を調達し、チームをつくってどんどん活動していく。そういうネットワークが急速に発達してきたわけです。やる気とヴィジョンさえあれば自分にとって必要な人が見つけやすくなってきたし、必要なものの調達も、ずっとやさしくなってきた。

こういう環境の中で生まれてきた新しい社会の萌芽をこそ見なければならないし、何か新しい抽象化の道具立てなんていうものを考えるよりも、そういう萌芽をどんどん成長させてはびこらせるほうが先決なのではないかと思います。

その意味において、新しい社会形成の上で自由というものがもつ意義が非常に大きくなってきているのではないでしょうか。

第一章

権利と自由、法と自由

人権批判の根拠

自由にとって権利とは非常に重要なものです。近代原理においては、自由と権利は分かちがたく結びついています。

また、法というものは、根本において、ある面では自由を保障するものであり、別の面では自由を制限するものでもあります。これも自由にとって非常に重要なものです。

ところが、近代社会と近代国家が構造的に変貌してくるなかで、自由と権利、自由と法の関係は、もともとの関係からは大きく変化してきているのです。

少なくとも一九五〇年以前に生まれた日本の戦後世代の多くの人たちにとっては、国民主権、基本的人権といった権利は普遍的に妥当するものであって、それが空疎な観念になってしまうなんてことはありえない、と思われてきたことでしょう。もし空疎な観念になることがありうるとするなら、それは普遍妥当するものをくつがえそうとする反動に政治的・思想的に負けて、やられているからだ、と考えられていたように思われます。

けれど、若い世代の多くにとっては、現在の状況は、反動が強まったために権利が抑圧されているというような状態ではかならずしもありません。権利が抑圧されているというよりも、権利をめぐる社会関係が変化してきたということとして受け止められているのだと思われます。そして、それによって、人権、主権といった近代社会原理がおのずから揺らいできている状態があって、だから特権批判のようなものが出てきたのだと思います。*ところが、その批判が正しく受けとめられないで、そんな批判をするやつは右翼だ、エゴイストだといった反応ばっかりが返ってくるから、頭に来て、批判がもっと攻撃的なものになる。そういうふうにして進んできたのではないでしょうか。

＊もともとの対談で、自由の問題が取り上げられた背景には、対談がおこなわれた二〇一四年当時、ネット言論などとも関連して弱者やマイノリティの権利が特権として糾弾され、そうした批判に対して「他者への思いやりがなくなっている」「危険な右翼思想だ」「ナチスと同じだ」といった非難が湧き起こって、大きな論争になっていたという事態がありました。「特権」批判の対象は当初在日外国人や生活保護受給者などがメインでしたが、この時期にはそれとは別に日常的なトラブルをめぐって、「特権」「差別」が取り沙汰されるようになったのが特徴的でした。

たとえば、乙武洋匡氏が銀座のレストランで車椅子だからと入店を拒否され、その一件にネット上で言及したところ、乙武氏に同調し障害者への配慮を欠いた店側を非難する声と当然のことのように店側に対応を要求する乙武氏の態度を批判する声の両方が沸き起こったという事件がありました（以下「乙武ケース」と呼びます）。また漫画家のさかもと未明氏が、飛行機のなかで泣きつづける赤ん坊に切れて、「お母さん、初めての飛行機なら仕方がないけれど、あなたのお子さんは、もう少し大きくなるまで、飛行機に乗せてはいけません。赤ちゃんだから何でも許されるというわけではないと思います！」といった。これをネット上に公開したところ、「この程度のフライトで我慢できないって、人格に問題あるんじゃないの」とか「母親が可哀想。この機内で誰よりも大変な思いをしたはず」とかいった非難が集中して、パッシング状態になった、ということがありました（以下「さかもとケース」と呼びます）。

だから、そういう批判が出てきた根拠を問題にしなければならないし、その根拠を実践的に批判していくということならわかるけれど、批判を現象としてのみ受けとめて、それに単純反撥しているのではしかたがありません。そこで、近代における権利と自由、法と自由の根本にさかのぼって考えてみたいと思います。

普遍的命題形骸化の三段階

一般的にいって、「汝何々すべし」という普遍的命題をめぐって、いくつかの状態が考えられるのではないかと思います。

第一には、その命題がもつ具体的で固有な力を実感できている状態です。

第二には、その命題がいっていることの必要性と合理性が社会的ルールとして通用していると実感できている状態です。

第三には、そのいずれでもないけれども、しかし、その命題が公式の場でもつ影響力だけが社会に残っている状態です。

いま「嘘をついてはいけない」という普遍的命題を考えてみた場合、真実というものがもつ具体的で固有な力、その健全な力を根から損なう虚偽がもつ不健全な影響力、それらをみずから深く実感して「嘘はいけない」と言えるのが第一の状態で、そういう状態はもちろんあったし、いつだってありうるわけです。

そうした実感をともなわない場合でも「嘘をついたら他人から信用されなくなる」とか、「嘘が通用するようになったら社会がうまく動かなくなる」とかいうことが常識になっていて、社会生活を成り立たせていくうえではそれが必要だと実感されている状態というものが第二の状態として観念できます。

第三の状態というのは、社会生活上の必要性というレヴェルさえも曖昧で特に実感されていない状態なのに、公式的な場面の言動ではまったく形骸化して内在的な力を失った命題がそれでも公理として通用しているという状態です。

いわゆる社会道徳と一般に呼ばれるものは第二の状態にあるものではないかと思います。それと比較するならば第一のものは自分自身の内的な力を健全で安定的で強固なものにしていこうとする、言わば〈内向凝集的な力への志向性〉みたいなものだと言えるでしょう。こうした志向性は性質上、個人的レヴェルか小集団的なレヴェルでのみ追求可能なものだと思うので、現代人が観念するような社会のような広がりをもちませんが、社会道徳は常にこうした第一の志向性から派生したものであって、そこから内在的な根拠を供給されなくなるや第三の状態へと堕落していくものだと思います。

「嘘はいけない」という道徳的命題は、もともとは〈内向凝集的な力への志向性〉が淵源だと言いましたが、その反対である虚偽は〈外部拡散的な力への志向性〉という性格があると思います。前者がますます「自分自身そのもの」になろうとして内在的な力を凝集させて強固にするのに対して、後者はますます「自分自身ではないもの」になりたがって外部への影響力を増大させることに夢中になります。嘘というのは「実がないのに人を動かすことができる力」であり、「内在的な根拠を欠いたままに他者に対する影響力を獲得する」ことに魔性の魅力があるわけですが、それは元来自転車操業的なものであって、維持していくために次々とリスクを大きくしていく性向を帯びたものです。

一般に社会道徳と言われるものが健全性を保つためには、どこかで第一の状態、つまり通用しているルールとしてではなく、自分自身がそのものの固有の力を実感している状態を淵源として持ちつづけなくてはならないのに、実際には個別に一から問い直そうとする姿勢そのものがすぐに危険視される傾向が見られるようになり、一方ではすでに形骸化しきった抽象的観念であっても、それを教育と宣伝によって周知徹底すれば社会が再び健全になるかのような考え方が政治党派の別を超えて蔓延しています。

人権であれ愛国心であれ、それを教育と宣伝によって普及させることに成功すれば社会が健全化するという考え方は、まさにマスメディアの宿痾ともいうべきものであり、情報メディアが大きく変化する中でこうした傾向は新世代にとってますます煩わしいものになっていくと思います。しかし、こうしたやりかたでずっと社会をリードしてきた人たちの自尊心はそのやりかたと堅く結びついていますし、実際にはすべてを一から自分で再構築するだけの力がない人は従来のやりかたを捨てたら一瞬にして淘汰されてしまうリスクがあるので、結局はそれに固執することになります。そして、そうすることによって、彼らは現代社会の中で抑圧装置になってしまっているのです。

「転校してきた帰国子女」モデル

これについては、問題をわかりやすくするために、ひとつの譬え話をしたいと思います。学校のクラスに転校してきた帰国子女という設定の話です。

ある学校の教室に帰国子女の生徒が転入してきます。帰国子女の子は、日本人にとっては外国人と同様にコミュニケーションの文化が異なる一方で、外国人とちがって外見や言語においての障壁がない分、むしろ異文化が直接的に挿入されてきて、既存の関係性との間で軋轢を生む場合があります。

差異と同化の問題がうまく処理できずにそれが差別とイジメに発展するケースを考えてください。そこで担任の教師が現れて「差別やイジメはあってはならないことなのでみんな仲良くするように」という指導をします。しかし、この教師は例によって差異と同化の問題を教室という関係性の中でどう処理すべきかという課題には一切着手せずに、その代わりに「差別はあってはならない」という教条を頭ごなしにかぶせてきます。つまり軋轢の根源には一切タッチしないで、少なくとも軋轢の原因の一つになっている同化の方を強要します。

このようにすると、結果的に社会的緊張は強くなるので、問題は激化するか、もしくはさらに悪い場合には表面化を避けて陰湿化します。しかし、その場合でも教師は少なくとも自分は「差別やイジメはあってはならない」という社会正義を説いたのだから、何ら批難されるいわれはないと考えているのです。

しかし、先に述べた三つの段階に照らせば、この教師の「社会正義」は第三の状態のものです。当人にとってそれはまったく空虚なものか、刹那的な気分昂揚のためのものでしかない一方で、社会正義の名のもとに問題自体を丸ごと抑圧してしまう機能だけはもっていますし、しかもそうすることが自分自身の保身にも直結しています。

ところで、こういう状況のなかで、今度は生徒たちのなかから、「オレたちがあいつのこと大キライだってこと、はっきり言おうぜ」という勢力が出てきて、抑圧された問題の顕在化を呼びかけるという事態が考えられます。

これが抑圧装置によって問題が悪化した場合に生じる第二の局面なのですが、ここで重要なことは、多くの場合この反抗運動が抑圧構造の打破と自己統治による問題解決につながっていかないということです。彼らは自分たちを教条的な正義で抑圧して問題を悪化させる教師からの自立と自己決定、さらには自主管理につながる方向をめざす代わりに、教師の「みんな仲良く」という欺瞞的な「正義」に対して「あいつのことキライ」という自分たちの「真実」をぶつけて、抑圧によるフラストレーションを解消しようとするのです。

しかし、弱者のエージェントに対する憎悪が弱者に対する憎悪に流入するように、「あいつのことキライ」という思いには欺瞞的で抑圧的な教師に対する反感が流入しています。「みんなで言おうぜ！　アイツのことなんて大キライ！」という一見激しい排他性のように見えるメンタリティを掻き立てているのは、抑圧者に反感を懐きながらも、それでいて抑圧構造そのものに対しては従属的でありつづけるという矛盾した態度が生み出す屈折した感情なのではないかと思われます。

しかし、（少なくとも初期の段階では）タブーに挑戦し、欺瞞的な「正義」による抑圧に正面から反抗する彼らの運動は、解放を志向しているように見えるので、一定の支持を得ます。この正当性をあたえているのは問題のトリガーとなった帰国子女ではなくて、むしろ教師の態度なのです。けれど、想像に難くないことですが、教師は基本的に態度を変えません。

レイシストと呼ばれている人たちの在日コリアンに対する一見激しい排他的攻撃というのも、これと同じような性格をもっているように思われますし、また、それに対して、単にアプリオリに「人権」「寛容」「国際社会の常識」「普遍的な価値」といった既成の大枠を被せて抑えようとしているだけのリベラルな知識人やメディアと彼らとの間に、相互に自己が維持され、構造そのものがけっして打破されない対立関係が成り立ってしまっている情景もここから見えてきます。

一定のコミュニティ的状況の下で、近代的価値、戦後的価値を奉じる左翼のインテリゲンティアが、大衆に対して、そういう抑圧的寛容の支配を布いていたことは確かだし、そうした支配に対して、特に一九九五年頃から、公然たる反抗が出てきだしました。

にもかかわらず、左翼インテリゲンティアは、いまに至るも、同じ構造を維持しようとしていて、それによって没落を深めているのですが、そのことに気づいていません。近代的価値に疑問を呈するのは右傾化だと思っているのでしょう。いつかまた左傾化するときが来ると思っている人たちもいます。一方、反抗者のほうも、そういう関係を持続させている近代というもののありかたを全体として問題にするのではなくて、戦後が悪かったというふうに、逆に左傾化に原因を求めて、右傾化させようとするというかたちになってしまっています。どっちも同じところがある。近代というもののありかたを全体として問おうとしないから、近代という枠のなかで循環してしまうのです。そして、おたがいにぐるぐる回りながら没落していく。

倫理というのは、むしろ当事者が活力を失い空疎化したときのほうが無意味に硬化します。そうなると、「あってはならないことが公然となされるようになってきた」と空疎な嘆きを吐露することはあっても、問題を根本的に問い直そうとはしません。空疎化、弱体化しても構造そのものが続くかぎり構造的な支配力は残るので、抑圧とそれによる軋轢は続いて、それらが反抗に正当性をあたえつづけます。しかし反抗勢力は拡大はできてもけっして自立を志向しないので、結局のところ構造そのものには従属的です。

こうなってくると見えてくるのは最悪の第三局面です。呪われた構造の中で対立する双方が相手の「悪」から自分の「正しさ」を引き出して食いつなぐという屈折した「デキた関係」が固定していって、その中でおたがいにどんどんダメになっていく未来です。

自分自身何の実感ももっていない教条に依拠するしかないという倫理に対する虚無感、イキがったところで所詮は構造を打破できないという反抗に対する無力感は、それぞれこうした真実を隠蔽しようとして、構造的支配者はより抑圧的になり、構造的被支配者は運悪く社会的な緊張のトリガーにされてしまった者に対する攻撃を熾烈化させつづけます。

悪循環と化した構造と訣別して別のヴィジョンによる関係性を自分たちで模索するのではなくて、悪化する環境がもたらす負の感情を既存の構造内で自分たちが勢力形成することにつなげていくのです。一方に空疎化すればするほど教条的に硬化する社会正義を振り回して抑圧装置化する部分がいるとすれば、他方には抑圧構造に対して強い反感をもちながらも結局はそこから脱して自前で何かを始めることができない、そしてできないという無力感が募れば募るほどより攻撃的になっていく部分とが存在していて、両者が実は共依存*みたいな関係になっている。それはヘーゲルが考えたような最終的に揚棄に至るような対立などではなく、罵り合い絡まり合いながら共倒れになっていく、その意味で呪われた関係が末期的な状況におちいっているのだと思います。

＊ 共依存とは、ここではある程度比喩的にいっていますが、もともとは心理学で使われる言葉で、「自己と特定の相手がおたがいの関係性に過剰に依存して、その人間関係に囚われて逃れられなくなる状態」のことです。

世界全体がこうした構造から脱することができないままに没落していくとは考えてはいませんが、現代社会は部分的にはすでにこうした共倒れに向かってゆく局面まで進行してしまっている面もあると思います。しかし、その一方で呪われた構造の外では個別に新しい模索を始めている部分も出てきています。新しい社会の展望はこうしたもののなかからしか生まれてこないでしょう。

権利と法の違い

抑圧装置をのりこえ、反抗者と抑圧者との呪われた関係をのりこえていくためには、自由と権利という問題を、根本にもどってとらえなおす必要があるのではないかと思います。近代的理念、特に普遍的権利としての人権というものに対していま起こってきている疑問、反抗に対しては、「人権」「普遍的な価値」を第三の状態に放置したまま教条的に圧し被せるのではなくて、その近代的理念を是とするか非とするかにまずは関わりなく、第一の状態にもどりうるような「根拠」がどこにあるのかを問うことが必要だと思うからです。

「権利」というのは、もともと日本語にはなかった言葉で、明治初年にヨーロッパ語の翻訳として移入されたものです。ヨーロッパ語では、英語は right、ドイツ語は Recht、それらのもとになっているラテン語は rectus で、いずれも正しさ、正当性という意味であるわけです[*]。

＊　柳父章『翻訳語成立事情』（岩波書店、一九八二年）は「権利」という訳語がどのように成立してきたのかを検討していますが、さまざまな訳語が出てきていたなかで、原義にいちばん近かったと思われるのは、福沢諭吉の「通義」という訳語です。福沢は、「正理に従て人間の職分を勤め邪曲なきの趣意なり」として、職分において「求むべき理」と社会に対して「事を為すべき権」とが結合した概念として「通義」を建てています。それに対して、「権利」という訳語では、「権」は「権力」に通じ、「利」は「利益」に通じることから、もっぱら法律上の正しさを通じて利益を追求する力の行使を認められるという語感をもっています。この訳語が定着したせいで、法律的正しさを主張して自らの利益を図るのが「権利」だという受け止め方がおこなわれているのは問題です。
ですから、本書で使われている「権利」という言葉は、いまのべたような意味での「通義」という言葉に置き換えて読んでいっていただければと思います。

だから、日本語でいう「権利」というのは、ヨーロッパ思想の伝統においては、その行為の正当性がその社会全体で認められたということなのです。というか、社会全体で認められたというのは結果であって、ヨーロッパ世界では、神によって認められたものととらえられていて、神が認めて人間に授けたものだから不可侵のものである、と考えられていました。近代の人権宣言などでも、そういう立場を取っています。

近代日本においては、この「神授」ということを儒教の天の思想によって「天賦」というふうにパラフレーズして「天賦人権」というふうに唱えたわけです。その場合でも、「天」という人間や人間社会にとっては超越的な存在から授かったもの、あたえられたものというふうに考えられていたのです。

だから、そういうふうに超越的なものからあらかじめ授かったものである権利、すなわち正しさは、人間が社会の運営のために人為的に制定した法律というものより先行しているものであって、優先しているものであると考えられるわけです。これはヨーロッパ思想においてはまったくそうであったと思いますし、中国の天の思想においても法に優先するものだったと思います。この点については、現在の法律学では、いろいろな学説があり、論議があって、こう簡単にはいっていないようですけど、もともとはそうであったということです。

ホッブズは、『リヴァイアサン』のなかで、権利 right は何かをやってもいいしやらなくてもいいという自由を意味しているのに対し、法 law は何かをやらなければならないという義務を意味する、といっています。*

* ホッブズ〔永井道雄・宗片邦義訳〕『リヴァイアサン』（世界の名著版、中央公論社）p.160では次のようにいっています。「《権利》はある行為をやったりやらなかったりする自由であり、《法》は、そのどちらかに決定し、それを拘束するものだから……法と権利には、義務と自由のようなちがいがあり、同一のことがらにかんして両者が一致することはない」

だから、近代における権利というのは、もともとは自由権のことなのです。いまでも権利の根本は自由権です。

ということは、権利体系というのは、権力を通じて打ちたてられる法体系とは根本的にちがう別の秩序を構成しているのであって、法体系を人為的秩序とするなら、権利体系は自然的秩序であるといえるのではないかと思います。あるいは、法というものをもっと広く取って、自然法と制定法を包摂するものとするなら、権利は自然法に属する。いずれにしても、権利は制定法に先行し、制定法を超越するものなんだと思います。自由権が制定法に優先するという考え方は、かなり詳しく論述しないとおそらく誤解されてしまうおそれがあります。自由と権利、freedom と right との関係、特に自由権の理解はとても大切なので、もっと深く考える必要がありますが、とりあえずいま言ったことは正しいと思います。

さて、いま問題にしている議論をごく平たくいってしまうと、「転校してきた帰国子女」モデルの場合では、生徒たちの帰国子女に対する違和の表明に対して、教師は、「そんなこといっちゃいけません」といって、ただ「いけないことになってるんです」という態度を取るだけでなく、子供たちがなぜそんなことをいうのか考えなければならないし、子供たちは教師がどうしてそういう態度を取るしかないのかを考えなければならない、ということがいえるわけです。ここは学校のクラスという設定になっていますから、子供たちにそういうことまで要求できるのか、という問題はありますが、一般的にはそういうことになるわけでしょう。

なぜ、そういう不満や批判が起こってくるのか。なぜそういう不満や批判そのものを抑圧しようとするのか。そこに抑圧装置が出来上がってしまっているのはどうしてなのか。この問題は、権利というものの本来のありかた、そしてそれが変化してきた状況のなかから考えていかなければならない、と思うのです。少し長くなるのですけど、それについての歴史的経過をたどってみることにします。

社会権の導入がもたらしたもの

さっきいったように、もともと自由権こそが権利というものの本質であり実体であったのです。ところが、近代社会が展開していくなかで、自由権だけでは権利体系が不充分だという問題が露呈してきました。露呈したというのは、それがもともと近代の権利体系自体に胚胎していた問題だったからです。

そのもともとは、近代の権利体系が、人権宣言がそうだったように、所有権を不可侵のものとして設定したことにあります。そのために、資本主義の発達にともなって、有産者と無産者との間の質的な分裂と、それによる階級対立がどんどん大きくなって、社会を分解しかねないものになってきたのです。

そこで、第一次大戦後に、近代権利体系の修正として、自由権とは別の社会権というものが導入されてきたわけです。社会の危機を招き寄せることになった有産者・無産者の質的分裂と対立を緩和するために、経済的な分野での自由権を制限して、その制限によってできた空白を、すべての国民の生存権、教育権、労働権といった新しい権利によって埋めて、そうした権利を保障するために必要な立法をして、新たな法秩序を成立させていったわけです。これらの新しい権利が社会権であって、こうした権利の導入によって、国家は「自由国家」から「社会国家」あるいは「福祉国家」になったといわれたのです。これにより、人権の内容は、従来の自由権と新しい社会権の二つのカテゴリーから成り立つものとなりました。[*]

＊ 自由権と社会権について『法律学小辞典』（第三版、有斐閣）では、次のように定義しています。
自由権とは、「国家権力の介入・干渉を排除して各人の自由を確保する権利」「人間の自由に対する欲求は生まれながらの人間性に内在するもので、人間が個人の価値を確立するために獲得した最初の権利が、この自由権であった」とされています。
社会権とは、「個人の生存、生活の維持・発展に必要な諸条件の確保を、国家に要求する国民の権利」「一九世紀後半から資本主義の中に発生した矛盾により、資本主義を修正して、個人の生活の維持・発展のために国が配慮するのが妥当であるという主張を源流とする」とされています。

この社会権の導入がもたらした事態はいろいろな面からプラス・マイナスを考えなければならないのですが、いま問題になっている弱者の権利をめぐる問題との関連で、特に注意しておかなければならないのは、それまで自由権として基本的に自然法に属するものだった権利というものが、社会権においては、かならずしも純然たる自然法的なものではなくなり、人為的に仕立てられた権利、国家によって制定されることを通じて確立された権利という色彩を帯びたものになったという点です。つまり、自然的秩序に人為的秩序が混入され、自然法であったものに制定法が混入されたことによって、権利に権力の臭いがついたのです。

だから、この点に無自覚に社会権を押し出していくと、根本的には、国家権力を後ろ盾にして自己の利害を権力的に――つまり他者に対して義務を課するかたちで――主張することになっていきかねないところがあるのです。少なくとも、そのように受け取られてもしかたがないような場合が生じうるのです。

このことは、特に、非当事者で弱者の権利を代行して主張する人たちの場合、現れてきやすいと思うのです。その主張には、いまいったようなことに無自覚だと、権力的な臭いがどうしても出てきてしまう。「弱者の権力」というよりも「弱者の代行者の権力」というようなものが露出してきてしまう。

自由権の場合には、それが社会構成の前提になって、自由権体系にもとづきながら近代社会秩序そのものが構成されていくものだったのです。だから、権利章典、人権宣言がまず出されて、そこから近代法体系が形成されていったわけです。権利が法に先行し、また優越していたので、義務としての法は、自由としての権利を前提にして形成されたのです。

それに対して、社会権の場合には、そのようにして出来上がっていた法体系において、新しい権利体系が組み込まれるかたちで導入されてきたものでした。これまでの自由権体系だけでは国民全体の福利が図れないところが出てきたから、国家に新しい義務を課さないといけない、というところから、その新しい義務の根拠として社会権というものが考えられたわけです。それによって法体系は修正されるのだけれど、権利が先行し優先して法が構成されるのではなくて、むしろ法が先行し優先して権利が構成されるかたちになっているわけです。つまり、自由権のように（人民の）自由が（人民の）義務に先行し優先するのではなくて、社会権の場合は（国家の）義務が（人民の）自由に先行し優先している。ここでは、本来の自由と義務の関係が逆転しているというか、完全に逆転ではないけれど、ねじれて反転するモメントが生まれている。そこが根本的に大きな問題だと思います。

基本的人権というものは自由権・参政権・社会権からなる、と法学の教科書を見ると書いてあります。けれど、このとき、自由権というのは「国家権力からの自由」であり、参政権というのは「国家権力への自由」である。そして、社会権というのは「国家権力による自由」であるというちがいがある。このちがいを明確に認識しなければならないと思います。

社会権というのは、大衆国家、大衆民主主義の成立とともに導入されてきたものです[*]。だから、「国家権力による自由」という自由の性格は大衆国家、大衆民主主義というもののありかた全体に関わる非常に大きな問題なのです。「弱者の権利」といわれるものに対する反撥が出てくるのも、その反撥にうまく対応できないのも、そこに構造的な原因があるのではないか、と思います。

＊　大衆国家 mass state とは、「選挙権が大衆レベルに拡大され、大衆的な票や支持が、指導者の選出の決定的条件になった国家」であり、大衆民主主義 mas democracy とは、「市民社会に代わる大衆社会を基盤として形成されたデモクラシーの形態」をいいます（弘文堂版『社会学事典』による）。

社会権における相互性

ただし、最初に社会権の規定をおこなったワイマール憲法では、それまでのドイツ帝国憲法とはまったくちがう新しい権利の構成をしたわけで、権利と法の関係も新しい社会の合理性や必要性に基づいて根本的に再構成したともいえます*。

＊ 一九一九年にドイツ共和国でワイマール憲法が制定されたのが、社会権が理念として導入された最初とされています。この憲法は、主権在民、男女平等の普通選挙、労働者の団結権と団体交渉権の保証などを規定した当時でもっとも進んだ憲法とされました。

前に挙げた「普遍的命題の三つの状態」（p.40）でいえば、第二の状態、すなわち必要性と合理性が社会的ルールとして通用していた状態ではあったろうし、ドイツが第一次大戦に敗れて、ロシア革命の余波を受けて、ドイツ革命がまさに起ころうとしていた状況の下では、ワイマール憲法が労働者の団結権・団体交渉権を社会権として認めたのは、社会権という命題がもつ具体的で固有な力を実感できている状態でさえあっただろうと思います。労働者にとっては、労働者として生きていくためにはこの権利がなければならないという実感があったろうし、他の国民にとっても、こうした権利を認めて労働者を体制内部に取り込まなければ、革命が起こって社会体制そのものが解体されてしまうという実感があったんだろうと思います。これは、ある程度までは——程度は低いけれども質では共通しているという意味で——ですが、第二次大戦の敗戦直後の日本にも当てはまるところがあるように思われます。

また、資本家の側に立ってみれば、そういう権利を認めていくほうが、労働者の側の活力を引き出して、社会のヴァイタリティも増大していくだろうという目論見もあったと思います。それよりも危機感のほうが強かったと思いますけれど、労働者の権利を社会権として認めたほうがいい、認めて労働者を全体として包摂できるような体制にしていったほうがいいという認識はあったにちがいないのです。その意味では、どちらの側がどちらの側に勝ったとか負けたとかいうんではなくて、相互的なものだったとはいえると思います。相互的なものだから、現実的な意味が確保されていたんだろうと思います。

けれど、実は、社会権というものが、いまいった労働基本権にかぎらず、そういうふうに相互的なものだった、その相互性が、頽落への途を開くものでもあったという点を見落としてはならないと思います。というのは、この社会権の導入というのは、もともと社会権を設定せざるをえなくなった根本の構造そのものを覆して、新しくやりなおすものではなかったからです。

労働者の団結権・団体交渉権といった労働基本権を例にとっていうと、これが必要になってきた状況というのは、自由権が設定された時点から構造的にあったものなのです。たとえば、雇用関係が企業という法的人格と労働者という自然的人格との間の対等の自由契約によってなっているというわけだけれど、生産手段を保有している大きな企業と、自分の労働力を売るしかない一個人の労働者とでは、実質的に対等でありえないのは明らかです。そこで同じ立場の労働者たちが集まって労働組合をつくる団結権、その組合を通じて企業と交渉する団体交渉権といった権利は、労働者にとっては、最初からどうしても必要なものだったわけです。

こういう非対称的な関係が、対等の関係だとされていたのは、近代の自由権そのものの設定がはらんでいた根本的な問題だったのです。それは私的所有権を不可侵な権利として、それを中心にして自由権を設定したために起こってきた問題でした。問題がいやに遡ってしまうのですけれど、そこから見ていかないとわからないことがあるので、一通りのべてみることにします。

原初的な権利と義務関係、権限と責任の関係

フランス革命というのは、中世社会のなかから勃興してきたブルジョワジー、すなわち最初は都市内居住者 bourgeoisie であった人たちのなかから出てきた資本家たちが、自分たちの権利を確立して、それにもとづいて自己統治する社会をつくりだそうとしたものだったわけです。その意味でブルジョワ革命と呼ばれたわけで、その結果としてできた近代社会というのは、基本的にブルジョワジーが主体となった社会であって、その社会を自己統治する統治形態としての民主主義というのも、基本的にブルジョワジーによる統治のための民主主義であったのです。そもそも、近代の権利というのは、その範囲で設定されたものだったわけです。

実際に最初のうちは、ブルジョワのレヴェルに達したものにしか政治的権利はあたえられませんでしたから、財産と教養のある有産市民にしか投票権はなかったのです*。民主主義というのはある意味で社会において実力と責任をになった自覚的な階級としての自分たちブルジョワが自己統治していくことを宣言して確認するようなものだったのです。

＊　フランス革命のなかでは男子普通選挙が唱えられ、一七九三年憲法にも明記されましたが、実施されませんでした。男子普通選挙が実施されたのは、北ドイツ連邦で一八六七年、アメリカで一八七〇年、完全普通選挙が導入されたのは、一九一九年ドイツ共和国のワイマール共和政においてでした。

そして、それはそれなりに合理的な構成だったのです。ブルジョワジーにとっては契約自由の原則にもとづいて対等な交換に貫かれた社会関係を普遍化することがもっとも合理的だったわけです。具体的には、それぞれの個人が所有しているモノを等価交換で交換していくことで社会をまわしていく。そういう社会をつくるためには、社会を構成しているメンバーは、モノをもっていなくてはならないし、そのモノに対する排他的所有権が認められていなくてはならない。だから、人権宣言において、所有権が不可侵の権利とされていたわけです[＊]。

＊　フランス革命のなかで、一七八九年八月二六日に出された「人及び市民の権利宣言」（フランス人権宣言）では、第一七条に「所有は、不可侵かつ神聖な権利であり、いかなる者もこれを奪われない」と規定されていました。

このように、近代社会は私的所有を基礎にした社会で、すべての権利と義務は所有の権利と所有権者の所有を通じた社会への義務を基礎にしていたわけです。保有している私有財産を、自分のものとして抱え込むのではなくて、それを投資したり運用したりして社会全体に貢献することが有産者の社会、ブルジョワの社会としての近代社会の義務の基本なのです。

それは、有産者個人にとってそれなりに内発的な権利意識にもとづく内発的な義務意識を生みだすものだったし、内在的な権限観念にもとづく内在的な責任観念を生みだすものだったといえると思います。そうであるならば、それは社会にとっても、外在的規制ではなく内在的秩序として働くことができるわけです。

マックス・ヴェーバーの『プロテスタンティズムの倫理と資本主義の精神』でも、近代初期資本主義の精神が召命と禁欲の倫理にもとづいて内在的な責任観念に裏打ちされたものであったことが分析されています。

近代社会の根本的矛盾

ただし、こうした事例は、近代初期の、企業が家族や一族とその周辺といった人格的関係で結ばれた小規模なもので、企業家自身が直接生産者でもあるような場合を主に取り上げたもので、ここには原初的な自由と責任の関係が見られるのですが、企業が大きくなり、資本と労働の分離、生産における分業、市場の拡大が進むにつれて、それがおのずから変質していくことになるのです。

ここで大きな問題として浮かび上がってくるのが、私有財産を所有していない無産者つまりプロレタリアの存在なのです。プロレタリア proletarius というのは、もともと古代ローマ帝国で中小の農民であった者が没落して財産をもたない無産者になったものを指したのですが、近代においても中世の農奴や小規模農民が農地を離れて労働力を売るしかなくなって賃金労働者になったので、それと同じだと見なされたわけです。膨大な数の労働者がそういう無産者、プロレタリアとして生みだされたのです。

彼らは、生産を大きくになっているにもかかわらず、政治に参加できないので、国家に対して権利を主張できません。また、生産の場においても、何をどのくらい、どのように生産するのかは、実際に生産に当たる労働者が決めるのではなくて、資本の代理人である経営者が決めるのです。そうすると、プロレタリアは、産業社会を生産現場で支える存在でありながら、その社会の統治からは除外されているということになります。国家内の巨大な存在でありながら国家外の存在になってしまっており、社会内の巨大な存在でありながら社会外の存在になってしまっているわけです。この構造が近代社会の出発当初から最大の問題、根本的な矛盾だったのです。

労働者の側からは、こんな割に合わない話はないから、労働者固有の権利を獲得して、それを武器に資本の側に対して要求をしていこうという労働運動が興ってくるし、それだけでなく、そういうブルジョワ社会の構造そのものを変えて生産手段を社会が共有するものとして社会化しようという社会主義運動も興ってきました。

そういうなかで、ブルジョワ知識人のなかからも、労働者を社会外の存在にしておくのはおかしいという意見が強くなってきて、統治者であるブルジョワジーの側から、労働者にもある程度の資産がもてるようにして、ブルジョワ社会の秩序に組み込んでいこうとする動きが出てきました。

そこには、単に労働者に対して譲歩するというだけではなくて、労働者の生活を底上げして反抗を抑えて、その力を体制に組み込んだほうが社会も発展するという考え方もあったわけです。産業化後進国だったドイツのビスマルクなんかは、まさにそういう考え方で、彼がいわゆる同権化政策や社会保障政策を積極的に採ったのは、そういう考えにもとづくものだったのです。

ビスマルクの場合には、単にプロレタリアを体制に組み込むだけではなく、国家がその力を使って、ブルジョワジーと対抗させ、ブルジョワジーを国家に従わせて、全体として国家主導の産業化を進めていこうという意図があったのだと思います。

その後、立憲君主制のノウハウを学ぼうとしてドイツを訪れた明治政府の伊藤博文たちに、法学者のローレンツ・シュタインが、もしもブルジョワ勢力が議会を通じて国政に過干渉してくるような場合は、君主は投票権を持たないプロレタリアと結合することによって政治的に対抗しろという助言をしていますが、あれも、ドイツにおいては、ブルジョワ社会の外に立つ王権が社会外の存在である労働者と組んでブルジョワジーを挟撃して社会を安定させ、発展させたという教訓から来ているのだと思います。

内発的権利＝義務関係と外発的権利＝義務関係

シュタインのいうような戦略もあったわけですけれども、それ以前にまずブルジョワジー自身からも、プロレタリアの革命化を抑えるために、賃金や労働条件を改善して、擬似有産者化して、ブルジョワ社会に包摂していこうという戦略が出てきたわけです。ブルジョワ社会である構造と機構をそのままにしながら、それにプロレタリアも含めた国民大衆あるいは市民大衆が構成する社会であるという形式をあたえていこうとしたのです。そういう国民社会ないし大衆社会に統合していくためには、政治的国家のレヴェルで同じ政治的権利をあたえて、形式的には同じであるということにしていく必要がありました。

ところが、市民社会のレヴェルで見ると、その権利の実質的効力には大きな違いがあるわけです。利潤を生みだす生産手段を所有しているブルジョワの所有権の実質的効力と、自己を再生産するのに必要な生活手段をある程度所有しているだけのプロレタリアの所有権の実質的効力とでは、大きな違いがあります。同じ権利といっても、経済的不平等は大きくなっていくばかりです。それは当然のなりゆきなのであって、社会の機構を変えなければ、経済が平等になるはずがなかったのです。

ところが、もともと実質的な経済的平等要求に対して、形式的な政治的平等で応えて体制に包摂しようとしたわけですから、もともとの要求である経済的平等にある程度応えないと、平等圧力は高まるばかりになっていってしまいます。そこで、契約自由な交換原則を修正して、契約において、さらには交換において、弱い者にゲタをはかせることで、外見上で不平等を緩和するという方向に行くことになったわけです。それが、大きな枠においては社会権の導入だったと思うのです。「ゲタをはかせる」というと表現が悪いかもしれないですが、自由権だけでやっていると権利の効力の実質的不平等が進んでいってしまうから、弱い者に特別の権利を賦与して均衡を図ろうとしていくわけです。これは平等化ではなくて、単なる均衡化です。質的平等ではなくて、量的均衡です。

しかし、これが功を奏して、やがて、かつてはこの不平等の問題は社会構造・社会システムによっているのであって、それを変えなければ平等になんかなりえないということから、構造転換・システム転換としての革命を考えていた側が、次第に、社会権の拡充によって不平等を解消していこうという権力依存の方向に傾いていき、やがては今日のように決定的にそこにシフトしていくことになっていったわけです。

ここで注意すべきなのは、社会権というものの非対称性と外在性です。

自由権というのは、まったく相互的なもので、こちらにも自由があれば、あちらにも同じ自由がある。ところが、社会権というのは、力の差がある者同士の取引が実質的に対等になるようにするためのものだから、非対称的なものであるわけです。こっちにある権利があれば、あっちにはその権利はないという関係です。

それから、所有権を基礎に構成された権利と義務の関係の枠組においては内発的責任観念を通じて義務観念をもつことができない状態におかれたままの存在に対して、そういう内発的責任にもとづく義務の裏打ちを期待しないままに、外在的に特別権を賦与していくというかたちになっているわけです。そこに非常に大きな問題があると思います。

ホッブズがいうような意味で権利が自由を意味するものであるのは、権利が内発的義務によって裏打ちされているからなのです。義務は内発的なものであるかぎりにおいては、自由と背反しません。ところが、社会権というのは、国民全体の福利の確保のために国家に課された義務を意味するのであって、それが権利となるのは、国家にとっての義務の反射的な現れにすぎないのです*。それは内発的なものにはなりえず、外発的な義務の反射作用でしかないのです。

＊　その「反射」作用は、社会権を認めるというかたちだけではなく、国民に国家を支える一層の義務を求めるというかたちで現れることもありえますし、潜在的にはそのように作用しているのです。一九六一年にジョン・F・ケネディは、大統領就任演説で「あなたの国があなたのために何ができるかを問うのではなく、あなたがあなたの国のために何ができるのかを問うてほしい」とのべた、その論理は、そこに根ざしています。

社会権の設定は、近代社会の根本的矛盾をそのままにして、その矛盾の発現を抑制したり緩和したりするために導入されたものだといえると思います。プロレタリアにとっての社会権の意義が、それとは別にあることは認めます。たとえば団体権と団体交渉権の獲得は非常に大きなものです。しかし、社会権の導入によって、いまいったように、権利と義務との内発的な緊張関係が失われる方向に行って、ゆるんだ関係になっていったこと、それと同時に、もともと対立関係にあったブルジョワジーとプロレタリアート、資本と労働が、それぞれの本来の対立相手に対して、根本的な対立を解消しないまま、みずからの存立基盤において相互に依存的になっていくという関係が進んでいくことになったのではないか、と思うのです。そして、それが大衆社会、大衆民主主義、大衆国家というものの成立の、いちばんの問題点だったのではないかと思うわけです。

それは、基本的な階級関係はちがいますが、ソビエト連邦において、フルシチョフ時代に、プロレタリアート独裁はその任務を終えたとして、全人民国家になったとされたこと＊、そのことによってソビエト社会主義の変質と頽落が決定的になったこと、それとアナロジカルにとらえられるのではないか、と思います。

＊　一九六一年に新たに採択されたソ連共産党綱領において、次のように規定されました。
「プロレタリアート独裁は、共産主義の第一段階である社会主義の完全かつ最後的な勝利と、共産主義の全面的な建設への社会の移行とを保障して、その歴史的使命をはたし、国内発展の任務という観点からみれば、ソ連では欠くことのできないものではなくなった。プロレタリアート独裁の国家として生れた国家が現在の、あたらしい段階では、全人民の国家、全人民の利益と意思を表現する機関に変わった」

資本主義国家も社会主義国家も、そのなかに抱えていた根本問題を形式上の手続きで「なかったことにする」ことによって、おたがいに堕落する方向にともに進んでいったという点で同じであるといえるのではないでしょうか。少なくとも、これらの転換によって、諸階級・諸社会集団が、みずからのなかに内在的な自律性を獲得して、それぞれ固有のインタレストを追求していくという方向性が阻害されていったことは確かだと思います。そうやって、おたがいに固有のインタレストを失って依存的になっていって、いまのどうしようもない状態に至ったわけです。相互の対応関係は、資本主義vs.社会主義という対抗関係が、それぞれ、世界共和国vs.世界革命という理想段階から、国民国家vs.一国社会主義、それに付加された国際連盟vs.コミンテルンという段階、さらには大衆国家（大衆民主主義）vs.全人民国家（人民民主主義）の段階というふうに質的に頽落しながら展開してきたわけです。

自由権の問題であることを曖昧にするな

もともと権利と自由をめぐるネット上の最近の論議を問題にすることから始めたわけだったのですが、それからは離れて、社会権の問題を長々と話すことになってしまいました。そうなったのにはわけがあって、社会権の導入によって、自由権のありかたが変わってきてしまっているので、本来の自由権にもどって論議するためには、そこで生まれてきたバイアスを是正しておかなければならなかったからです。

けれど、障害者のレストラン利用の問題（乙武ケース）にしても、飛行機のなかで泣く赤ん坊の問題（さかもとケース）にしても、どちらも基本的には自由権の問題なのです。どちらのケースも、自由権の主張と自由権の主張が衝突しているわけなのです。さかもとケースでは明らかにそうだし、乙武ケースでは、社会権を根拠に権利主張がなされていたわけですけれど、具体的な場面では、それぞれの個人の自由権の衝突だったわけです[*]。

＊「乙武ケース」「さかもとケース」をめぐる論議とそれについての論評は、『単独者通信』掲載の「社会の皮膚、社会の内臓」の「権利？ 特権？ 自治？ 依存？」PART 1「『弱者の特権』が問題にされるようになってきた」の項を参照してください。http://neuemitelalter.blog.fc2.com/blog-entry-19.html

そのとき、それぞれの自由権の主張をどう調和させるか、あるいは相互に妥協させて調停するかということになるわけです。ところがここで、特に日本社会においては、これを自由権の問題にするまいとする力が働くのです。つまり、自由と自由のぶつかりあいを避けて、一般的にいってどっちが擁護されるべき者か、ということにしてしまおうとする。なぜそうしようとするかというと、問題を一般的な問題、どちらが普遍的に通用する立場なのかという問題へとずらしてしまって、当事者同士の問題にしないようにする力が働くからなのです。それが、日本における権利、すなわち自由というものに対する基本的なスタンスになってしまっているのです。

さかもとケースについて、アメリカで長く生活している日本人がネットで発言していましたが、飛行機のなかで泣く子供の問題は、アメリカでは日常茶飯事として起こっている問題だというのです。アメリカは広くて、赤ちゃん連れでも、どうしても飛行機で移動しなくてはならない場合が多いですから。それで赤ちゃんが泣いてしまった場合、「赤ちゃんを泣かせないようにする責任が親にはある」と主張する人、「赤ちゃんが泣くのはしかたがないことで、ある程度は受忍しなければならない」と主張する人、それぞれあって、意見交換がされていて、権利問題の議論になっているということなのです。当事者それぞれの自由権の問題として扱われているのです。そして、赤ちゃんはなぜ飛行機のなかで泣くのかという研究もいろいろおこなわれているし、赤ちゃんが泣いたときの具体的な対応策もいろいろと出されている。そのうえで、それぞれのケースで状況も条件も違うので、ケース・バイ・ケースで、当事者の間で工夫もされて処理されているというのです。

ところが、日本の場合には、さかもとケースの議論に見るように、すぐに、いったいどっちが社会的に是認されるべきか、どっちが倫理に適っているか、という一般的に通用する社会的な倫理の問題にされてしまう。つまり、権利の問題、自由の問題、「できる」という問題としてではなく、義務の問題、当為の問題、「すべき」という問題としてとらえられてしまうわけです。

これは、日本においては、前にホッブズを引いていったようなかたちでの「権利とは自由であり、義務が法である」という観念がなくて、逆に義務から権利を限定的に位置づけていくとらえかたが支配的だからなのです。そして、そういうところには、当事者性というものが生まれにくいのです。さらにいってしまえば、本来の意味での自由権なんて成立していないとさえいってもいい。日本では、権利というのは、社会的相当性のごときもの、つまり社会的に有用だから許容される権限のようなものとしてとらえられているといってもいい状態なのです。*

＊ 権利が社会的相当性にもとづくものであるかのように受け取られていることは、自己主張の言辞に対して「何様のつもりなんだ」という非難がおこなわれるところにも表れています。これを裏返せば「社会的に有用な○○様なら許される」ということなのですから。

だけど、社会的に有用だから認められるというのは、一種の特権です。このように、日本においては、権利というものは、もともと自由権ではなくて、社会的特権という性格が強かったのです。だから、いまでも、自由権と社会権がごっちゃになってしまって、むしろ、ともすれば社会権が自由権を吸収してしまう傾きすらあるのです。

歴代自民党政権は、安倍首相（当時）なんかもそうですけれど、「日本は欧米と価値観を同じくしている」といいます。だけど、そんなことはないのです。いま出した自由権の問題一つ取っても、近代原理の根本的なところで、価値観がずれているのです。見方によっては逆立ちしてしまっているのです。これは、日本の近代化のありかたの問題として、とても大事な点だろうと思います。

ですから、それぞれのケースにおいて、それが自由権の問題だということを曖昧にしないで、そうであることの意味をいつも鮮明にしていく必要があると思うのです。それが社会の内臓の問題なのです。社会の皮膚の問題をそのまま問題にしているだけでは堂々巡りになってしまうのが日本社会の現状であって、社会の内臓の問題として考えないと解決の方向が見えてこないのです。権利と自由、法と自由の問題を歴史的にさかのぼって長々とのべてきたのは、そのためなのです。

内発的権利＝義務関係はいかにして形成しうるのか

さて、そうした状況をふまえたうえで、自由権を成り立たせる基盤である内発的権利＝義務関係を形成しなおしていくということを考えたとき、ブルジョワジーが近代初期の原初的な権利意識にもどって、それを内在的に取りもどしていくということは考えられるだろうと思います。けれど、プロレタリアの場合は、その存在のありかたそのものからいって、もともとブルジョワのものである近代原理を内面化することはできないのではないかと思われます。そうすると、プロレタリアはどういうふうにして内在的自律性を確立していくことができるのかという問題が出てきます。この問題は非常に重要で、プロレタリアだけの問題ではなくて、これからわれわれはどうしていけばいいのかということに深く関わっていると思われます。

それに関連して、とりあえずまず言っておかなければならないことがあります。というのは、確かに、いま社会権についていったことは、一面的な見解かもしれません。ただ、いま忘れられている根本的なことを思い出してもらうためには、こういう一面的な言い方をまずするしかないということなのです。

より多面的に見るならば、たとえば、社会権が自然法のなかに根源をもっているということもできると思いますし、そうであれば、自由権との差異は相対的なものになります。社会権として設定された生存権というものの考え方についても、自然法に根源をもっているものとしてとらえるなら、プルードンの「所有とは盗みである」「われわれの生存に必要なものはすべて共有物である」という考え方なども、そういう絶対的自然法に基づく生存権思想ということもできるだろうと思います。

だけど、そういうことを明らかにするためにも、国家の義務の反射としての権利、つまり「国家による自由」を、「国家からの自由」としての権利、つまり「国家権力からの自由」と同一視してはだめだと思うのです。われわれは、その同一視を通じて、国民が主権者だと認められているのだから民主主義とはわれわれ自身による自己統治なのだといっているけれども、実際には社会から疎外された統治機関である国家が賦与してくる外在的な「権利=義務」感覚に囚われてしまっているのが現状なのです。それに対して、われわれ自身が現実に生きている基盤に立脚した内発的な権利感覚、それを裏打ちしている内発的な義務感覚をとりもどして、自律していかなくてはならないのだと思います。そうでなければ、主権者ではありません。

そういう感覚がなくなっているから、本来、「幸福というものがなんであるかは個人の自由に属する問題である」という意味であった幸福追求権というものを、「幸せになる権利が憲法で保障されている」ということだと考えている人がめずらしくないという状況が生まれているのです。これはまさしく自己統治である民主主義の頽落であり、それは社会の内臓が腐りはじめている兆しだと思います。

「責任」には二つある

この内発的な「権利＝義務」感覚と外発的な「権利＝義務」感覚の問題をめぐっては、責任という観念について内在的な責任と外在的な責任の違いをより深く考えておく必要があるように思われます。最近の世間一般の議論を聞いていると、この二つを区別しない、というより責任といえば外在的責任のことだというとらえかたがほとんどのように思われます。

内在的な責任とは、具体的な権限や権能をもっている人間がみずからの判断に従って下した決定や行動の結果のマイナス面をみずから受け止めるということです。これに対して外在的な責任とは、トラブルや損害が生じた場合に、しかるべき地位にいる人間が社会的な制裁を受けることを意味しているようで、両者はまったく性格が異なります。

内在的責任には反省の意味合いが強いのです。少し漠然とした言い方になりますが、みずからの権限とみずからの判断で起こした行動の結果には良いものであれ悪いものであれ「自分自身の姿」が、もっと厳密に言えば「自分が生きている世界における自分自身の姿」が込められています。だから、たとえマイナスのものでもそれを受け入れることにはソクラテスの「汝みずからを知れ」という要請につながっていくものをもっています。

これに比べると、外在的責任には社会的緊張の解消の意味合いが強いのです。わかりやすい言葉で言えばケジメをつけるということです。トラブルや損失によって深刻な不和や緊張が惹起された場合、この社会的緊張はトリガーとなった元の問題とは独立した問題を形成するので、それに対しては何らかのケジメをつけることで制御する必要が出てきます。そこで「この人が悪かったんだ」という人間を特定し、みんなでそのことを確認したうえで、その人に制裁を受けさせます。これで責任を果たしたということになります。

内在的責任は各人がこの世界で生きる自分自身の存在意義を考えるためにとても大切なものですが、そのためには前提として当人にある程度自由な権限があたえられていなければなりません。結果のマイナス面を受け入れることが反省になるのは、そこに自分の姿があるからであり、それは端緒となった行動に何らかの自由が存在していたことが前提となります。ここに行為における自由の必要性があるのです。その自由がなくて、あらかじめ拘束された行為であったなら、反省の余地はなく、内在的責任は存在しないのですから。ここに内在的責任に裏づけられた自由、逆に言えば自由によってあたえられた内在的責任が個人にとってもつ意味があります。

外在的責任はケジメをつけて社会的緊張を解消するためのものなので、こうした自由を必ずしも前提にしません。上からの命令に従うだけで何ら実質的権限がなかった者でも、現場に丸投げしたまま放置している者でも、肩書上しかるべき地位にいれば外在的責任という意味では責任者となります。

ここで「どちらが本当の意味での責任か?」といった問題を論じるつもりはありませんし、上司が外在的責任をすべて引き受けることで有能な部下に現場で思う存分活躍してもらうという役割分担だってありえます。明治初期の政府指導者には、たとえば西郷従道のように、こうしたタイプの指導者が存在し、優秀な部下を庇護し育成することで大きな役割を果たしました。

最近の日本社会を見ていますと、まず一つに、この二つの責任の観念がまったく区別されていないこと――実際には内在的責任という観念が薄くなっているからなのでしょうが――、もう一つには、現場の弱体化によって内在的責任の観念がどんどん希薄化しているなかでさまざまな問題が歯止めなく噴出している状況が目につきます。社会における内在的責任の意義を一顧だにせず、相次ぐトラブルによってもたらされる大きな社会不安に対して外在的責任追及を強化して対応している傾向があるということです。

みずからの生きるかたちをみずから選び取るのが義務である

前にのべた内発的義務・責任と対応する権利・権限のありかたと、外発的義務・責任と対応する権利・権限のありかたとの差異は、社会的な視野から見た倫理の問題になるわけですが、いまのべた内在的な責任と外在的な責任の差異というのは、同じことを個人的な視野から見た倫理の問題になるのだと思います。

そこで思い出すのは、ジャン＝マリー・ギュイヨーという一九世紀の哲学者の『義務も制裁もなき道徳』という著作のことです。ギュイヨーは、制裁だとか、外在的責任にもとづくものとしての義務だとか、そういうものに発した道徳を否定して、義務という道徳感情は生の充溢から生まれるものでなければならないといっているのです。[*]

＊　ギュイヨーは、たとえば、次のようにのべています（ギュイヨー〔長谷川進訳〕『義務も制裁もなき道徳』岩波文庫版 p.117）。

「義務は他の凡ゆる力に優越する或る内的力の意識に帰着せしめられるであろう。より大なることをなし得ると内心に感ずることは、それ自体でそのことをなさねばならぬと最初に意識することである。事実の観点から眺め、かつ形而上学的観念を別にすれば、義務とは自己を働きかけ、自己を与えることを求める生命の過剰である」

その「生命の過剰」が他者を助ける道徳的行為として表れるのは、それが「知性・情緒・感性の豊饒さ」を内包しているが故に、他者の許におもむかざるをえないからである。花を咲かすことはときとして植物の死を招くことを意味するが、花は咲かざるを得ない。それが植物の生の充溢である。そして、「道徳性、無私性は人間生活の花である」とギュイヨーはいっています（同前 p.112）。

これは、さきほどの「汝みずからを知れ」ということにつながる責任観念に重なると思うし、「義務は内発的なものであるかぎりにおいてこそ自由と背反しない」ということとも重なると思うのです。このような意味での自由こそが権利なのであって、ここにおいてこそ権利＝義務関係が、行為に対する外からのベネフィットやサンクションと関係なく内在的に成り立つわけなのです。

それからもう一つ、「責任とは内省であり、自分自身の姿を自分で確認することだ」ということは、哲学者アンリ・ベルクソンの義務の考え方を思い出させます。ベルクソンは、『道徳と宗教の二つの源泉』のなかで、義務というのは拘束や抑圧によって生まれるのではない、とギュイヨーと同じようなことをいって、「みずからの生命のかたちをみずからで選び取ることが義務なのだ」といっているのです。[*]そして、何かをしなければならないという感情は、みずからをみずからの根に結びつけることだといっています。

＊ ベルクソンは、人間相互が道義で結び合わなければならないということは、自然がlaw（法則）として人間にcommand（命令）している生命のかたちなのだ、として、「われわれは義務というものを、人間の間の紐帯のように思いがちだが、それは各人を、何よりもまず自分自身へと結びつけるものなのである」といっています（ベルクソン〔森口美都男訳〕『道徳と宗教の二つの源泉』世界の名著版 p.225）
この対談を編集しているいま放送中のNHK連続テレビ小説『おちょやん』で、「私には神聖な義務がありまず」「私自身に対する義務ですよ」というイプセン『人形の家』のノラの台詞が何度も出てきます。そのイプセンの義務観は、このベルクソンの考え方と通ずるものです。

ギュイヨーもベルクソンも実は同じことをいっているのです。そしていま、そのような内在的責任の観念がどんどん希薄化しているのではないでしょうか。われわれ自身が現実に生きている基盤に立脚した内発的な権利＝義務感覚が希薄化してしまっているのです。どうしてそうなってしまったのか。近代社会が制度化された末に惰性化して、もはや外発的なものに反応するだけになってしまったからではないでしょうか。それは、さきほどのべたように、近代自体の出発点に根本的な矛盾があったからだろうと思うのですが、同時に、そうした根本的矛盾を抱えながらも、近代の出発点においては、それなりのかたちのはっきりした「内在的責任の観念」「内発的な権利＝義務感覚」があったことも確かなのです。

近代社会原理を内面化できるのは有産者だけ

近代社会原理における権利と義務は、もともと内発的な「権利＝義務」にもとづいていたのです。しかし、前にもいったように、その内発的な「権利＝義務」は有産者にしか内面化できない性質のものだったのです。私有財産、ドイツ語で「固有性」をも表すEigentumをもつ個人が、そのEigentumをもつ者どうしの権利を侵害しないでみずからの権利を行使するということを義務の基本にして結びつきあう、そういった統治形態、そこにおいては、有産者は権利＝義務を内面化できるのです。そこでは私有財産としてのEigentumは固有性としてのEigentumによって裏づけられているのです。正確には権利の自覚の上に義務を内面化できるといったほうがいいかもしれません。その意味では内発的な権利＝義務を全員がもてる構成ではあったわけです。それは、有産者の自己統治としては合理的な構成だったといえます。

そういうことをいったら、ブルジョワジーなんてもともとそんな立派なもんじゃない、卑しいもんなんだ、といわれたことがありますけれど、たとえそういいうるものであったとしても、彼らが彼らなりに自己統治社会をつくろうとして建てたフランス人権宣言や、アベ＝シェイエスの『第三身分とは何か』などを読むと、そこには個人を原点にして内発的な権利＝義務関係で統治を構成しようとする姿勢がはっきりと感じられるわけです。その自己統治の精神は是としなければならない。

いまも、その精神から学ばなければならない。そして、僕らも、彼らとはちがったかたちで内発的な権利＝義務関係で統治を構成する途を探し求めなければなりません。その内発的な権利＝義務関係に立脚してこそ、僕らは自由になれるのですから。

近代社会が出発していく時点においては、それを推し進めたブルジョワジーにとっては、自分たちが何者であり、何を志向しており、そのためにどんなシステムが合理的であるかという問題が、まさに自分たちの問題として身近であり切実だったのです。むしろ端緒においてはそうした現実的な認識に基づいていた権利＝義務の問題が、当初はその埒外に置かれていた大衆massにまで普遍化していくうちに、自分たちの存在には直接関係のない、それこそ天から授けられたもののようになって、無前提に是とされ護持されるべきものになっていったのではないかという気がします。

そこには、前にのべた普遍的命題の第一の状態（p.40）が、その命題が拡張されることで風化していく過程が見られるように思われます。しかし、それは労働者であるプロレタリアが悪いわけではない。その普遍的命題がブルジョワジーにしかあてはまらないものであったのをそのままにして、それは護持したまま、プロレタリアだって同じだよ、とするごまかしがそこにはあります。そうしたごまかしの上に自由が花開くことはありえないのです。

そこには、プロレタリアも労働力という商品を私的に所有しているんだから、私的所有者としてはブルジョワジーと同じだという虚構が弄されていて、その虚構によって形式上の同権化が図られているわけです。でも、そこで考えられている無産者の労働力商品の所有というのは、もともと近代社会の統治を構成するときに考えられていた有産者の所有とは全然ちがうものだから、労働者はその有産者の所有を前提に構成された権利＝義務関係を内面化しようとしたってできるものではないのです。

労働者にとっては労働力商品の私有なんていう変な所有で有産者と同じだなんていわれたって、現実の生活のなかでは同じだとは思える関係にはないのです。だから、権利といっても本来のブルジョワの権利の中身と比べると根拠となる部分が擬制的で、都合が悪くなったから同じだよとされただけのもので、同権といってもほんとの同権ではない。そうであれば、義務というのも、内在的な権利との対応を欠いた外在的なサンクションとしてしか感じられないということになるわけです。

プロレタリアにはプロレタリアの内発的「権利＝義務」感覚がありえた

だけど、それでは、そういう労働者にとって内発的な「権利＝義務」感覚というものはありえない、ということになるのでしょうか。

ありうるのです。かつて社会主義運動のなかでは、労働者がみずからに固有な内発的な「権利＝義務」感覚で結びつきあうことが、プロレタリアートの階級形成として考えられていたのです。それは、簡単にいうと、「労働」を基軸にした「権利＝義務」感覚なのです。ブルジョワジーの内発的な「権利＝義務」感覚が「所有」を基軸にしたものであったのに対して、プロレタリアートの内発的な「権利＝義務」感覚は「労働」を基軸にしたものだとされていたのです。

労働こそがすべての価値の源泉である。したがって、人間社会を成り立たせていくためには、すべての人間が能力に応じて労働する義務があり、その労働によって生みだされた富を必要に応じて取得する権利がある。これが社会主義社会におけるプロレタリアートの内発的「権利＝義務」感覚であると考えられていました。

しかし、いまの生産力水準では、「必要に応じて取る」というわけにはまだいかない。そこで当面は、「労働に応じて取る」関係をつくらなければならないということで、そのために、プロレタリアだけでなく、農民や手工業者のような生産手段を所有しながら自分も労働する直接生産者たち――プロレタリアートからはプチブルジョワジーと呼ばれていました――とともにプロレタリア的「権利＝義務」感覚にもとづく自己統治をおこなっていこうとしたわけです。それが、ソシアリズム、社会主義と呼ばれる運動であったわけです。

つまり、近代社会原理が所有を基軸にした「所有者の自己統治」にあったのに対して、社会主義原理は労働を基軸にした「生産者の自己統治」にあった、といえるわけです。これが、かつて「社会主義者」と呼ばれる人たちがその実現のために運動した社会主義というものだったわけで、その意味で社会主義社会とは「働く者の社会」だったのです。そうした運動をおこなっていた者たちが「左翼」と呼ばれていたわけです。この社会主義原理は共産主義者＝コミュニストと社会民主主義者＝ソシアルデモクラット共通の認識で、市民主義者やリベラリストとははっきりと異なっていたのです。

現実の社会は、「所有者の自己統治」を原理に組織されていますから、「生産者の自己統治」は自然に成立してくるものではないわけです。そうした状況のもとで労働者がみずからの世界を現実に建てようとすれば、その世界全体の統治ができるような権利＝義務のエートス、内面的な秩序感覚がなければならないし、労働者の現実の生活というか生 Leben は、そういうものを労働者の内に内包させる働きをしているはずだ、ということだったのです。

その頃の社会主義者は、なさねばならぬが故になしうるのか、なしうるが故になさねばならぬのか、それはともかくとして、なしうること、つまり権利が、なさねばならぬこと、つまり義務によって裏打ちされている、そういう意識を階級全体においてつくりだしていくこと、それが来るべき新しい社会を準備するものだ、という考え方をしていたのです。* 二〇世紀の左翼のなかでは、それはそうだけれど、そんなことは国家権力を獲得してからの話であって、いまは権力奪取のみに集中すべきだという人たちが多数派だったのだけれど、そういう階級形成ができていかなければ、権力を取った後に形成されるプロレタリア独裁というものにしても道義的正当性をもつことはできないし、たとえ権力を取ったとしても権力なんて維持できないと考えていた人たちも少なくなかったのです。

* いま考えると、ギュイヨーやベルクソンの、したがってまたアナキズムやサンディカリズムの考え方は「なしうるが故になさねばならぬ」ほうであり、コミュニズムや社会民主主義の考え方は「なさねばならぬが故になしうる」のほうであったのではないかという気がします。

これに対して、市民主義、リベラリズムは、近代社会原理のほうに立っていて、その不充分なところを市民的自由の拡大によって是正していくというような方向を追求していたのです。彼らにとっての内発的「権利＝義務」感覚は、「市民」という名がついているだけで、近代社会原理と同じものです。彼らは、そうした本質的にブルジョワ的な社会原理に立って、政治的民主主義の拡大を主張していたのです。だから、大衆国家、大衆民主主義は、基本的にそれに沿うものとして肯定されていました。

それに対し、階級形成による新しい統治形態を考えていた社会主義者たちは、さっきいった労働を基軸にした「権利＝義務」感覚を内面化して、所有を基軸にした近代社会原理に対抗していこうとしていたのです。そのかぎりにおいては、無産の労働者もそれに与する者も、自分たちなりの内発的「権利＝義務」感覚をもとうとしていたといえるわけです。

そうした社会主義者にとっては、民主主義というのは、「所有者の自己統治」と「生産者の自己統治」との対決、せめぎあいのなかにあったものだったのです。したがって、当然のことながら、社会権というものについても、いまのべたような考え方をあくまで前提にして、考えていたわけです。ところが、いま左翼と呼ばれている人たちが社会主義を事実上捨てて、市民主義やリベラリズムに避難場所を求めて延命しようとしているがために、もともとあったこの違いが曖昧にされてしまっているのが現状です。そこで、本来はどうであったのか、あらためて明らかにしておいたわけです。

根本にもどらぬまま「将来という外部」に問題を委ねてしまう構造

いま問題にしたいのは、そのようにして、ブルジョワジーもプチブルジョワジーも、プロレタリアも、いずれも内発的「権利＝義務」の緊張関係をなくして、外発的「権利＝義務」関係に依存するようになったことが、いったい何をもたらしたのか、その意味を見極めることだと思うのです。

もともと近代国家というのは、社会的不平等の上に政治的平等を被せて、ほら平等だからいいじゃないか、というようなものだったわけです。「みんな平等なんですよ」なんていわなければ、そういう問題は起きなかったのだけど、しかし自己統治を標榜した以上、平等だっていわざるをえなかった。

その結果、やがて、本来の近代原理で位置づけたような意味からいえば所有者としての内発的「権利＝義務」をもちえない者たちに、「所有者の自己統治」権まがいのものになるような権利をあたえることによって、ブルジョワジーもプロレタリアートも同じようなものなんですよ、という欺瞞を弄していく。そうしているうちに、ブルジョワジーにとっては、プロレタリアートの階級意識——つまり、前にいったプロレタリアの内発的「権利＝義務」感覚のことです——を解体したのはいいけれど、そのことが祟って、ブルジョワジーみずからも、そのみずから設定した「まがいもの」の権利のレヴェルに堕ちていってしまって、本来の近代原理におけるみずからの内発的義務、内発的責任を消失するようになっていってしまった。相手を変質させることを通じて、自分たち自身をも変質させてしまったわけです。

そういうふうにして、自分は何者なのかということがどんどんうやむやになっていけば、そうした現実的な認識と結びつきを失ったイデオロギーは形骸化した教条になったり、無力なお説教になっていったりして、現実とのフィードバックを失ったダメな抽象的観念に堕落していくのです。こうして、前にのべた普遍的命題の第三の状態（p.41）に至っていったわけです。実際、そういうふうになったのがいまの社会の姿なのです。

だけど、それを困ったことだとは思わないでいることもできないわけではない。対立する諸階級が自己の固有性を堅持するなんてことをしてわざわざ事を荒立てなくても、うやむやの方向性に乗っていけば総じて円滑にシステムが動いて、その結果として富は増大する。富の増大はブルジョワジーとプロレタリアートが共有できる社会の目標だし、対立する階級がそれぞれ固有性を失っていけば、そこに擬似的な平等感が生まれてくる。それでいいじゃないか、ということで済ませてしまうことができないわけではないのです。

そういうふうに、内実はどうであれシステムが動いて富のリターンが増えていって、それが大衆にも分配されていくかぎりでは、いいわいいわでいくように思えるけれど、ところが、ほんとは、そのリターン——物質的リターンと精神的リターン——が相まってセットになって、どんどん人間のありかたが頽落していって、総体的にものすごい喪失が進んできたのです。痛切にそう思います。そのリターンというのは、内側に生じている不都合を内側で解決しようとしないで、みんなどんどん外側に出していって、物質的にも精神的にも外部依存を深めていき、内部が空洞化していく結果としてえられたものであったわけですから。そういう外部化によって、内部の矛盾を外部に転化して解消していったから、矛盾が解決されていく過程のように見えたけれど、実は外に出して、そこに溜めていただけだったのです。

確かに、内部に存在する現実的な問題に当事者がそれぞれの自覚をもって取り組むよりも、問題をうやむやにしながら、富の増大、生活水準の向上といった普遍的な共通目標を掲げて、みんながそこに傾倒していくことで、一方では現実問題そのものを見ないようにできるし、他方ではこの共通目標の追求のかなたに全面的な解決があるという夢想に依存することで、「将来という外部」に「現在の内部」の問題の解決を転化していくことができる。こうして、問題の外部化、解決の外部化、二重の外部化が進んでいき、内部が空っぽになっていく。

しかし、全体がこうした方向に進んでいけば、「成長しつづければきっと将来よくなる」という漠然とした希望に依存して努力することはできても、いま起こっている問題をいまの時点で内部的に解決するための試行錯誤がまったくできないタイプの人間が大量に生み出されてしまうことになります。それは人間の内部が空っぽになっていくということです。そして、事実、そうなってきているのではないでしょうか。

そうしているうちに、外部に出して解消していたはずなのに、実は解消なんかされずにそこに溜まって腐敗していたものが、ぐるーっとまわって、内部にもどってくるのです。いま、外部化したものが外部に充満してしまって、もう外部化が限界に来ただけでなく、そこに溜まっていた腐敗物質、あるいは最終処理できなかった放射性物質みたいなものが内部にどんどんもどってきはじめているのではないでしょうか。いま騒がれている異常気象の問題、プラスティック廃棄物の問題などの環境汚染はその「もどってきたもの」の物質的に目に見える象徴であって、これと同じようなかたちで目に見えない精神的な腐敗物が社会にもどってきていることによって、近代的思考では処理できない問題が社会というレヴェルで次々に起こりはじめているのです。

そうやって外部に出していたものが内部にもどってきたときに、問題解決能力を大きく喪失してしまっているから、それに取り組めない。だから、ほんとはもう昔みたいな成長はできない時代に入っているんだということが薄々なりともわかっているのだけど、「経済成長、これしかない」と旧来のやりかたの焼き直しでやっていくしかなくなっている。それは、保守もリベラルも、もはやリベラル左派でしかない左翼も、みんな同じです。

いま、さまざまな社会問題は成長を通じて解決できるという考え方は自民党だろうが共産党だろうが同じだと思います。たとえ、「持続可能な」という形容詞がついていようが、同じことです。ところが現在われわれが直面しており現実化しなければならないのは、無成長社会ないし定常社会のリアリティなのです。

無成長で定常的な社会というのは歴史的な必然性をもっているし、情報化社会との親和性もあるし、その意味では全然悪いことではないのです。必然的に訪れつつある無成長社会・定常社会における生き方は、むしろ魅力に充ちたものでありうるのです。ところが、すべてを成長志向に巻き込むことによって社会を維持してきた指導者たちと、それに巻き込まれることでありのままの自分の姿から目を背けてきた人たちにとっては、無成長はまさに悪夢であり社会の終わりに見えてしまうのです。「将来という外部」に希望を信じてがんばること以外何もできなくなってしまった人たちの希望は破綻し、今度はその破綻した希望の彼方から無力になって途方に暮れる人たちに向かって、いままで希望という美名のもとに外部化して遠ざけていたさまざまな問題が逆流してきます。もうどんどん逆流してきています。その濁流が僕らを飲み込もうとしているのです。僕らは、それを受け止めて、その打撃をみずから引き受けたうえで、無成長社会・定常社会へ進んでいかなければならないのです。

だからさっきも言った通り、成長とか希望とかに依存しないと何かをすることができないという状態がいちばん深刻なのです。時間稼ぎの粉飾を取り払えば、無成長社会・定常社会の過程はすでに始まっているわけです。すでに始まっているにもかかわらず、依然として成長志向が社会を牽引しているという事実は、単に惰性や旧弊といった言葉ではかたづけられない事態です。現代社会における成長や希望に対する信仰は、もはや楽観的な態度などではなく薬物依存的な性質の、きわめて治癒の難しい、半ば絶望的なものなのです。そのとき、夢を長続きさせようとするのは、多分、夢が良い夢だからではなくて、夢から覚めてありのままの自分の姿を見るのが怖いからなのです。僕らは、その怖さに負けずに、いまこそ夢から覚めなくてはならないのです。

第二章

平等と自由、公共と自由

当事者性が蒸発した言論に対する反撥が起こっている

成長社会から無成長社会ないし定常社会へということを言いましたが、成長型の社会がたとえば「国民の生活水準の向上」のような普遍的で抽象的な目標を万人が共有するようにして、局所における具体的紛争をできるだけ共通目標への協同という方向に意識をシフトさせて解決してきたのに対して、これからの無成長社会・定常社会においては具体的な問題に対して当事者性をもってのぞみ、その場において解決を模索するというスタンスが各人に求められるようになると思います。すべてを拡大・発展の方向で考えるのではなく、必要な場合は縮小・後退を考えなければならず、量よりも質を考えなければならなくなるからであり、そうした場合、問題を一般化するのではなく、局所において個別化して当事者として考えなければならなくなるからです。

ところが、多くの人が社会問題を考えるときのスタンスとして、いまだに従来のやりかたを踏襲していて、局所で起きている具体的問題に対して唐突に抽象的な普遍倫理を適用するという傾向があるように思われます。

たとえば、障害者の人権といった抽象的な理念をゴリ押しすることがさまざまな状況においてむしろ問題を悪化させ泥沼化させているような状況で、最近では少しずつ「すぐに抽象的な人権問題なんかにしないで当該の具体的状況の中で何が本当に必要で、各人は何ができるのかを考えるべきだ、そのためには人権といえば何でもまかり通るような風潮はむしろ問題だ」といった趣旨の意見が下から出てくるようになってきています。こういう意見が出てくるのは必然的なことだと思います。

ところが、これに対して新聞などのマスコミ言論に代表される従来型の良識は「人権を公然と批判する人たちが出てきている」というリアクションを返すわけです。みんなが「人権は大切だね」と抽象的理念を共有しさえすれば将来的にはきっとよくなっていくという発想の人たちにとって、「そんなことで済まそうとするからどんどんおかしくなるんだ、具体的に考えよう」という声は反動であり不和と対立の火種にしか感じられないのだと思います。

ここで誤解のないように言っておきますと、「人権派が社会を悪くしているんだ、アイツらがいなくなれば世の中はよくなる」という主張を波及させようとする態度が一方で蔓延していますが、こうした態度は、これまた当事者性に立とうとしないスタンスで、言っていることが正反対なだけで、「みんなが普遍的に何かを共有すれば世の中はよくなる」という社会観は、まったく従来型のマスコミ的良識と根は同じなのです。こういった言論は、現場の具体的な問題からどんどん離れて、マスを動かすことに夢中になっていきます。

このような「みんな既存の同じ理念を共有すべきだ」という要求は、それぞれの個人が内発的「権利＝義務」感覚にもとづいてみずからの手で自由を見つけ出し、自由な言論を育んでいくことを阻害してしまいます。

マスメディアの対応というのは、昔から多かれ少なかれ一貫してそういうものでした。出来事を具体的にとらえてどうしたらいいのかを考えるのではなくて、一般に通用している良識の基準をあてはめて、レスポンスとして返すことによって、カッコつきの「良識」で事を収めることでオピニオン・リーダーの権威を保っていくというのがマスメディアの役割だったわけですから。そういう人たちが当事者性のないところから普遍的な理念を振りかざして世を憂いてみせたり批判してみせたりするときに漂うあの使命感に酔うような昂揚感が、いまの若者に嫌悪感や反感を生んでいるのに、彼らはそれに気がつかないのです。

コミュニケーション・メディアとしてのマスコミだけではなく、たとえば政治的メディアとしてのマスメディアである全国政党にしても、保守・リベラル問わず、同じような傾向を示しています。だから、支持政党なしの割合が六〇％を超えるまでになっており、若者の投票率がどんどん低くなっているのです。

でも、いまの若者が一九八〇年代から九〇年代にかけて学校教育を通じて教えられてきた社会性というのは、まさにこうした具体的問題に対して当事者になろうともせずに普遍的な理念を適用してみせるというマスコミ的なスタンスだったのです。社会性というのは「天声人語」や「余録」のようなスタンスで世界を論評することであって、たとえば町工場の技術者が製品のコストを抑えるために多方面から試みるアプローチや模索などに類したとらえかたは普遍性をもちえない下位のものとして位置づけられていたのだと思います。

ところがメディアの変化にともなって状況は変わってきました。まえにもいったように、1：Nの関係で不特定多数のNであるマスに向かって、1である全国メディアが一方向的に普遍的な言論を発信するという方式はすでに情報世界全体を支配するものではなくなっています。不特定多数が不特定多数に向けて発信し、おたがいが受信するなかで意見が形成されていくN：Nのコミュニケーションが日常化してきています。

そんななかで従来型の権威が「あなたが言っていることはおかしい」と公然と批判されるようになってきているのですが、この権威への挑戦が今までのものとまったく違う種類のものになっていることは注意しておく必要があります。1：Nの関係が主流であった時代の挑戦はその大半が「1にとって代わる」ための挑戦でした。「お前の言っている普遍的主張はおかしい、私の普遍的主張こそが通用すべき正しいものだ」というわけです。さっきも言った通り、これは敵対者と主張が違うだけで根性は同じです。

ところが、現在出てきている批判にはこれとは違ったものが現れてきています。彼らは現在の1になり代わってみずからの普遍的な主張をマスに普及させようとしているのではなくて、いわば、大衆の権威なるものが、具体的問題をよく知っている人間から見れば通用しないような抽象的なことを公衆に向かって得意げに語っているのを批判しているのだと思います。

こうした今までなかった種類の批判に対して従来型の権威は苛立ちを感じているわけです。自分にとって代わろうとしている者と「1の地位」をめぐって普遍的な議論を闘わせることは堂々とできる一方で、当事者性に立つ人から「そんな抽象的な話ではなく、具体的にどうするべきなのかあなたの考えを聞かせてほしい」と言われただけで何だか顔に泥を塗られたような気分になって不機嫌になったりします。そこでついには「私と議論するなら私と同じステージに立つべきなのに、それをしないままに私を非難するのは卑怯だ」という態度を取ったりするのです。これは非常に滑稽というか痛い光景です。昔とは正反対で今では相手は「あなたのようにはなりたくない」というのが本音だったりするのですから。

メディア環境や社会の変化にともない、以前の1：N型のマスメディア主流の時代においては大衆の牽引役として尊敬されるべき地位にいた人たちというのは、各人が当事者性をもったままつながれるN：N状況においては、「具体的問題解決のためには役に立たない空疎なお説教を悦に入ってするだけの痛い人」になりつつある一方で、具体的問題解決に専心しつつそこからさまざまな有益な知見を引き出して発信できるタイプの人が次第に相応の尊敬を受けるようになってきています。

こうした変化は世代や依拠する情報メディアによって現れ方が違うので、従来のマスメディア型の人たちはそのことに気がついていないようです。そこで起こりうるのは、前者のタイプの知識人などが、「当然自分の方が社会的には尊敬されているのだから」と思い込んで後者のタイプの人たちを馬鹿にしたような態度をとってしまうことです。こういうたぐいの人は仮に戦いになっても相手は弱小だし自分は大衆から支持されているのだから勝負にさえならないと考えていることがありますが、現実の戦いにおいては、実は相手よりも自分の方が無知で無力であることに気がついていない場合は、思ってもみなかった展開になることがあるのです。

当事者性を取りもどすために

問題は、そういうなかで、どうやって当事者性を取りもどすかということになります。

近代において自明とされていた命題がフィードバックされないまま具体性を失っていった過程を見ますと、すでに一九八〇年代には、近代的価値観は具体的なところではいろいろ齟齬を生じるようになっていて、にもかかわらずフィードバックしようとすると変なことになってしまうものだから、フィードバックをあきらめるという状態が現れていました。つまり、表層には現れてこなかったのですが、深層においてはすっかり活力を失っていたのです。

変なことになってしまうというのは、近代原理が修正されて変わってしまっているものだから、もともとのところにもどると、もとの原理と現状の社会関係とが合致しないところが出てきて、現状を批判しないとフィードバックにならないけれど、現状を批判すると、現在近代的価値として通用している修正された価値観が揺らいでくる、というような具合で、どっちにもいけないという状況だったのです。ですから、八〇年代日本では保守も革新も、右も左もどっちつかずの曖昧なところを行ったり来たりしていた感があります。

それで、「近代の近代化」とか「再近代化」というようなことを考えて、近代社会原理をつくりなおそうと努める人たちもいるにはいたのだけれど、当時の尖端思想の主流は、そんなことは飛び越えて、ネオリベラリズムやポストモダンへ行ってしまうし、すでに近代原理への原則的反対を捨てていた反主流は、そうした尖端主流の動きへの反対から反射的に反応して、摩滅したままの近代的価値を摩滅した状態のまま擁護する方向に走っていったわけです。そういう構図は、そのままま だ続いているといっていいのかもしれません。だから、保守といわれていた人たちがネオリベラリストやグローバリストになって、左翼といわれていた人たちがかつては近代主義として批判していた旧いリベラリズムに同化したり、摩滅した近代原理の保守主義になるという現象が続いているわけです。

こうした状況においては、近代原理が、いまのようなものとして成立した一歩手前にもどって、考え直すことが必要なのではないかと思います。そこには、さっき近代の根本的矛盾としてあげた所有の問題があったのです。そこから考え直すということです。

それは出発点にもどることですが、同時に未来からいまを照射するという点では、メディアの変容が開こうとしている来たるべき社会の姿を見る必要があります。そこには当事者性をもって発言できる人がたくさん出てきているし、国際政治にしても、世界経済にしても、社会現象にしても、新聞・テレビなんか見ていてもさっぱりわからないところの解明が、その問題を知悉している人や、現地でいま体験している人の手によって、インターネットをはじめさまざまなかたちでなされていて、それを僕らが受け取ることができるわけです。それを丹念にたどりながら、自分の頭で考えようとすれば、自分なりの理解ができ、自分なりの意見をもつことができる。そういうふうになれば、さまざまな情報を自分で判断することができるようになる。外国語ができれば、オリジナルのソースにもいくらでもアクセスして、正確な事実や正確な議論を確かめることができる。これは、すごいことだと思います。僕らは、いつでも当事者にアクセスできるし、自分自身が当事者として発信することができるのです。この「いまそこにある」自由をつかまなければなりません。

こういう関係は、ここ数年で格段に充実しました。僕らは、二〇〇九年からアラブで起こりはじめたことの真相が、マスメディアの報道や解説でいわれているのとはまったくちがうと直観して、そのときから海外サイトを含めて、ネットの情報をつっこんで探すようになったのですが、それであれが「アラブの春」「民主化」なんていうもんじゃないということはよくわかったのです。実際、そのときにえられた情報による見方が当たっていることは次々に実証されていったわけです*。

＊　これについては、『単独者通信』での対談でのべていますので、参照してください。
「楽園のパラドックスは超えられるか　PART1」http://neuemittelalter.blog.fc2.com/blog-entry-41.html
「権利？ 特権？ 自治？ 依存？　PART3」http://neuemittelalter.blog.fc2.com/blog-entry-29.html

だけど、あのころでも、まだまだ、そういう情報や解明にアクセスするのは大変だったんですけれど、いまやずっと容易になりました。

いまの若い人たちが、そうやって生きた情報を取って、現場に即して自分で考えるようになったら、もうマスメディアなんか簡単にのりこえられます。それに気がついてＳＮＳと連携することで自己革新しようと努力している既存マスメディアもありますが、そうしないと、テレビも新聞も遠からずつぶれかねません。

左翼対右翼とか人権主義対レイシズムとかいう構図にすぐに変換してしまう議論を見ていると、現実に何が起きているのか全然わからなくなってしまいます。いま世界は本当に大きな転換点にさしかかっているのだけれど、逆に言えば、その大きな転換の実相は小さな事象のなかに含まれているニュアンスを汲み取りながら予感するしかないのに、たとえば二〇〇九年の北アフリカの動乱を「アラブの春」だとして「民主化」の動きだと考えるように、いきなり上から従来の大きな概念を被せて理解してしまったらもう何もわからなくなってしまうのです。

でも、大衆に対して共有可能な目標を示すことを使命としてきた従来型のエスタブリッシュメントやリーダーというのは、そういうやりかたしかできないのです。リーダーだけではなくて末端で活動する人たちも、小さな事象からニュアンスを汲み取ることには無関心で、多くの人と共有できる普遍的な大義のもとでともに闘うことにばかり夢中の人が多いように見えます。今はそういうどこかの党派に属して普遍的な主張を発信している人たちよりも、自分の現場から些末ともいえる具体的な問題に言及している人たちの発信をブログやツイッターで見ている方がよっぽどためになりますし、逆に社会全体のことが見えてきます。

マスメディアは、いま良識ある公論が必要だというようなことをいって、みずからの存在を守ろうとしているけれど、もしそう本気で考えているなら、現場と当事者に即した論議を自分たちがやらなくてはしかたがないのではないでしょうか。

これは、対立しあわないで理性的に討論しろといっているのではないのです。対立すべきは対立し、激烈にやりあうべきはやりあっていいのです。ただ、その対立、やりあいは、現場において、当事者性をもったものでなければならないということです。

それはもはやマスメディアには期待できないということになれば、パーソナル・メディア、ミディアム・メディアに依拠してやっていくしかないように思います。ただ、そこには世代間の亀裂が深く横たわっていて、なかなか対等なかたちで新しい公共の場が作られる方向にはいっていないわけです。

いま、マスメディアだけではなくて、政党というような政治的メディア、貨幣・債権というような経済的メディア、あらゆる媒介が大きく変容しているなかで、旧いメディアに依然として拠っている世代と新しいメディアに拠っている世代との世代間の亀裂と対立が深刻になってきていると思います。

新旧二つの「社会性」「公共性」

いま、新旧二つの「社会性」「公共性」が重なっている状態にあると思います。旧い社会性・公共性はうまく働かなくなってきているけれど、まだ支配的なポジションを保っています。その一方で、新しい社会性・公共性が育ってきているけれど、まだ充分成熟していません。旧いものは命脈が尽きかけているのだけど、多くの人が自明のことのようにこれしかないと思い込んでいるので、この既存の言論に激しく固執するし、それが揺らぐと世界の終りのように絶望したりするのです。新しいほうは、まだ姿も形も整っていなくて、茫漠としたものだから、揺れ動いていて不安定です。と言うよりも、この新しいものは元々の性質上大きな固体的なまとまりを志向しないし、万人が共有できる普遍的価値やみんなが準拠することにより統合をもたらすような格率をあたえることをみずからの使命とはしていないのです。だから、旧のほうからは、「反社会的」「反公共的」と見られたりするのだけれど、実際には、これまでのものとは違う新しい社会性・公共性を内包している、あるいは潜在させている、と思うのです。

そういうことを言うとすかさず「じゃあ、その社会性とは何なのか?」と問われるわけですが、問うてくる相手にもよりますが、こうした質問に対しては基本的に無理に応えようとしない方がいいと思っています。それは結局、生まれかけの新しいものを無理に古い鋳型に入れて翻案してしまうことにしかならないからです。そのように問うてくる者を納得させるには、旧い社会性の考え方にある程度のっかって答えなければならなくなるからです。新しいものに対する正しい態度は自分のセンスにおいて直観したり、具体的な実践を通して自分自身がそれを生きることであって、広く通りの良い説明を用意しようとしてはいけないのだと思います。

ただ、新しいものが何なのかを説明することはできませんが、その一方で、いま混乱、不安定、極端化というふうにいわれる現象は、単なる普遍的価値の危機としてではなく、旧いものの後退と新しいものの生成という新旧交代のリアリティから見るべきだと思うのです。

その新旧交代というのは、非常にスパンの広いもので、一〇年、二〇年のものではないし、戦後七〇年とかいうのでもない。一〇〇年に一度どころではなくて、三〇〇年以上続いた近代という時代が終わって、脱近代の新しい時代に入ろうとしている交替期だから、交替の規模も大きいし、深度も深いわけです。

いま存在している流れは三つに分けられると思うんです。第一は「旧いもの」、第二は「新しいように見えるけれど実は旧いもの」、第三は「新しいもの」の三つです。

この区別は重要で、特にありがちなのは、「新しいように見えて実は旧いもの」を「新しいもの」だと勘違いしてしまうことです。そのせいで現代社会の実相を根本的に見誤っている人が多いような気がします。

状況を分析するときに自分自身の直観によってこの区別をすることが大切です。たとえばFacebook の創設を描いた映画『ソーシャル・ネットワーク』[*]にはこの三つがすべて登場していて、たがいに関わり合いながら展開していきますが、そこには既存の価値観に依拠した自分たちの利益のために新しいものを採用しようとする者たちが、結局それを制御しきれずにふりまわされた挙句に無能力を曝け出して破綻してしまう姿が描かれてます。これからの社会を考える上でこれはとても示唆的な話です。

＊ 原題 The Social Network（デヴィッド・フィンチャー監督、二〇一〇年）Facebook 創設者マーク・ザッカーバーグの半生を通じて新しいメディアの時代における人間のありかたを描いています。そのなかで、「新しいように見えて実は旧いもの」が容赦なく暴かれていきます。

「旧いもの」「新しいように見えるけれど実は旧いもの」「新しいもの」の区別は自分の直観でなすべきことですが、識別標となるものにもいろいろあると思います。たとえば「マス根性」の有無が基準になります。従来のテレビ・新聞がマス根性であることは言うまでもありませんが、新しいものとされているインターネットを通じてマスメディアを非難している人たちの中にも「結局根性はマスじゃないか」という場合は非常に多いと思います。

ネット言論においてはマスメディアでは登場することができなかった意見、たとえば過激なものだったり、差別的なものだったりが公然と登場して、一気に人々の注目や支持を得たりするので、警鐘の意味を多分に込めながら、これを新しい言論の姿としてとらえる人がいます。しかし、こうした、これみよがしの言論は多くの場合、結局たくさんの人の注目とたくさんの人の支持を志向するものでしかなく、その意味ではマス根性そのものです。

第三の「新しいもの」は、いまいった第一、第二のものと同じ土俵に乗らないで、独自の見解を育んでいるものです。何よりも重要なのは前二者とは違って勢力形成を目的にしていないということです。これと、第二の「新しいように見えるけれど実は旧いもの」とを区別することが重要で、さもないと、マスをのりこえるつもりが、いつのまにか、ふたたびマスにはまりこんでいる、ということになってしまいます。

インターネットは第三の性格にこそふさわしいメディアであると思われます。しかし、そこにはマスメディアによる発信が主流だった時代の性格がいまだに色濃く残存しているように思われます。マクルーハンも言っていますが、新時代のメディアがその真の意義を理解され相応しい場所をあたえられるまでにはある程度時間がかかり、それまではまったくその本質に反した形で旧時代のメディアの派生形だと誤解される時期があります。ネット言論によってマスの煽動がおこなわれることを危険視する見方も、ネット言論が民主主義を補強するという見方も、どちらも異なった立場から従来の社会観をそのまま踏襲しながらインターネットを「誰もがアクセスできるマスメディア」としてしか考えないところから出てきているような気がします。

レイシズムと平等主義の根は同じである

こうした見方から、昨今問題になってきたいわゆる過激な言論を見ると、これまでになかった新しいものと見られていた在特会*やネトウヨなどのいっていることも、ほんとのところは「新しいように見えるけれど実は旧いもの」にすぎないということがわかります。

在特会なんか特にそういうところがあらわれていますが、彼らは実はマス志向なのです。いってることも、旧来の近代右翼を過激にしただけのものだし、やっていることはマス・プロパガンダ、マス・デモンストレーションです。そうしたマスを標的にした言辞・行動をネットワーク型のメディアを利用して展開しているだけなのです。新しいネット言論の場に入ってこないし、ネットワーク型の行動もしていない。ネットを武器にしたマス・ムーヴメントにすぎないといえます。

＊「在日特権を許さない市民の会」の略称。日本国内に居住する在日韓国・朝鮮人が特別永住資格やさまざまな経済的便宜などの特権（これを彼らは「在日特権」と呼びます）を不当に得ているなどとして、その撤廃を目標に街宣・デモ・集会等の活動を展開してきました。ＳＮＳや動画サイトを利用して過激な宣伝・煽動をおこなって勢力を拡大しました。

いま左翼と呼ばれている人たちも、これまたマス根性の塊のような人たちなので、「右翼のやっていることはマス煽動にすぎない、これからはそんなやりかたじゃだめだ！」なんて批判はけっしてしないで、「ネット言論の危険な煽動から人々を守る良識が必要だ」みたいなことを旧メディアである新聞などを通じて発信しています。しかし、これは左翼右翼、新旧メディアの違いはあれど、結局はマス根性同士がどちらが勢力形成できるかで争っているようなもので、それがどれだけ加熱して影響力をもとうと、所詮は旧いもの。今という大切な時期にそんなところに関わっていたら意識も知識もそこにつなぎとめられて、新しい時代のリアリティを感得する機会が失われてしまうと思います。

それから、政党が、選挙運動などでＳＮＳを使ってけっこう効果を上げているようなのですが、これも結局マス志向で、ネットを勢力形成に利用しているだけなのです。Ｃ２Ｃを装ったＢ２Ｃと同じです。*無限定な「勢力」というものを追求するかぎり、みんなそうなってしまうのです。

＊ＢはBusinessの略で事業者・売り手を指し、ＣはConsumersの略で消費者・買い手を指しています。2はtoを表し、方向を示しています。したがって、Ｂ２Ｃは売り手から買い手への垂直的なアプローチ、Ｃ２Ｃは買い手同士の水平的なコミュニケーションを指しています。これは、ＩＴ社会のコミュニケーションのありかたとして、コンサルタントなどが使っている用語ですが、ここで言っているＣ２ＣやＢ２Ｃは、それを政治的・社会的な勢力形成の場合に援用して使ったものです。

ついでに言うと、奇妙に聞こえるかもしれませんが、朝鮮人は朝鮮に帰れっていってる人たちも、根性においては平等主義と同じだと思います。そもそもレイシズムというのには、その裏に、異物を排斥して同質性を基盤にした社会をつくりたいという思いがあり、しかもそれが、地縁とか血縁とか盟約集団とかの同質性ですらなく、「われわれ日本人」みたいな抽象的な観念において保証される同質性なのです。人類とか世界市民とか究極の抽象観念に依拠している人たちにとっては国粋主義だとか民族主義だとか言われる思想はひどく古くて偏狭な考え方に見えるでしょうが、それらは歴史的に見れば結構新しい思想ですし、抽象的同質性を求めてやまないところにおいては意外とそっくりなのです。他者との紐帯はこうした抽象的な同質性の媒介がないと成立しないと思っている点で同じといえます。

それは、おそらくどちらも「平等」ということを「均質」ということだととらえてしまっているからだと思います。平等は均質化を含んでいます。ある面について均質であることによって、あるいは均質化がおこなわれることによって、その面における平等は実現するわけです。そして、そのある面を至上のものとして集団を形成すれば、その集団は、至上の面において平等な集団だということになる。そうすれば、差異とそれによって生まれるややこしい関係を一気に断ち切って、一体化することができるのです。イタリア・ファシズムやドイツ・ナチズムがそうでした。

ファシズムやナチズム成立以前に、ボリシェヴィズムのプロレタリア民主主義が、プロレタリアートという階級的同質性を建てて、みんな労働する者、プロレタリアートになること、あるいはプロレタリアートにしてしまうという均質化によって平等社会をつくろうとしたわけです。これも論理としては同じです。これに対して、ナチスは、アーリア民主主義という民族的同質性を建てて、均質化をおこなおうとしたわけです。レーニンのプロレタリア神話による統合も、ムッソリーニの民族神話による統合も、そういう意味ではどちらも民主主義としては同じものだというふうに、たとえばドイツの国法学者カール・シュミットは論じているわけです*。

これは、民主主義と独裁は同じものでありうるという問題として、平等主義と差別が同じものでありうるという問題とパラレルです。

＊ カール・シュミット〔田中浩・原田武雄訳〕『独裁』（未来社、一九九一年）参照。

さらに言うならば、論理よりも以前の問題もあって、そういった論理よりも深いところで、人種差別主義と平等主義には同じ臭いがします。平等主義が一般化する以前に存在した差別、たとえば中世身分制社会における差別は現代の平等主義と相容れないものであったのと同時に、現代の差別主義ともまったく異質の感じがするのに対して、現代の差別主義は平等主義の双子の兄弟だという感じがします。両極端で激しく対立するものが実は双子の兄弟で、あるところから見ると不気味なほど似ているということは社会や歴史を見るときにしばしば出会う事実ですが、これもその一つではないかと思われます。

中世におけるように部分社会として同種社会をつくろうという志向と、近代におけるように全体社会として平等社会をつくろうという志向には共通するところがあるということ、にもかかわらず、その二つでは異質性に対するとらえかたが全然違うということがあります。中世では異質なものはそれぞれの具体的に同質なものがそれぞれ結合して分立して、その上で連合する方向を取るのに対して、近代では異質なものの間に抽象的な同質なものを見いだして、その抽象的同質性で平等を建てるという方向を取るわけです。

これはつきつめていくと、社会を形成する際の人間の精神構造に関わるような非常に深い問題になっていくような気がします。そこにおいて守りたい立場は、対立や紛争が起こったときに、あらかじめ定まっている考え方を適用して解決を図るというのではなく、当事者どうしが対等の立場で権利すなわち正義をぶつけあって、具体的な解決を見つけあうということ、それができる環境こそが自由というものだということです。それは、「主権型民主主義」に対する「多元型当事者主義」であり、また別のことばでいえば、「全体的で抽象的な平等主義」に対する「個別的で具体的な対等主義」ということです。

同質を前提にした均質の下での普遍的な平等ではなく、異質を前提にした差異の下での個別的な対等――それを原理にした人間関係こそが自由というものなのだと思います。これはプルードンなどのアナキズムに含まれている考え方です。

そういうとらえかたが、いまのメディアのありかた、N：Nの世界にいちばん合致しているのではないかと思います。近代民主主義というのは、国民主権というものを建てて、そこに平等な国民の総意が体現されるという形を取ることによって、国民主権を体現した全国政党・単一議会という1と国民それぞれというNが1：Nの世界を構成するということになっているわけです。これに対して、当事者主義・対等主義はN：Nの世界を構成する原理になりうると思います。

公共の福祉は内在的制約である

これに関連して、もう一つ、大きな問題があります。それは、自由権の制約としてつねに出てくる「公共の福祉」というものをめぐる問題なのです。

これは、前に問題にした内発的な権利＝義務感覚と外発的な権利＝義務感覚ということとも関連しているのですが、日本の政府・政治権力は、一貫して、公共の福祉というものを、自由権に対する内在的制約としてではなく、外在的制約としてとらえてきたのです。

みんな自分のやりたいことをやろうとするのは自然の勢いだろうけれど、そのとき、やりたい放題じゃめちゃくちゃになってしまうから、あらかじめ行動の枠を定めておかなければならない。その外からあらかじめ定められている枠が公共の福祉だというわけです。つまり、欲望自然主義を前提にしながら、自然にはまかせてはおけないから、公共の福祉が外から欲望を制約するという考え方です。

このとき、自由というのは、「みんなに共通な欲望についてはおたがいに肯定する」ということにすぎなくなります。だから、こういう考え方だと、自由というのは平等な欲望肯定のことだということになって、外的な枠のもとでは自由と平等が結びつくのです。ここに、日本ではともすれば自由が平等と混同され、平等であることが自由なのだと見なされてしまう根拠の一つがあります。これは、近代に始まったことではなく、おそらく古代に淵源する日本社会の根深い問題だと思います。

日本では公（おおやけ）という観念が下からの自主的な活動によって形成されてくるものではなく、下で展開する思い思いの活動を上から整序するようなものとして、もともとから考えられているのではないかという気がします。だから、自由も公共の福祉も、活動そのものにとって外在的な既定のものとして考えられていて、自主的な活動の中で自分たちのために時間をかけて模索し醸成していくものとは考えられてはいません。

こういうとらえかただから、たとえば表現の自由に関する議論などでも、争いの本質がややもすればどちらが錦の御旗を得られるかみたいな感じになってしまっているのです。規制を求める人たちを「危険な思想統制だ」と批判したり、自由を主張する人たちを「表現の自由と言えば何でも許されると思っている」と批判したりするのも、そもそもおたがいその根底に「勝った方が上からの認可を盾に我が物顔になれる」というような発想があるせいではないかと思われてしまいます。自由にせよ規制にせよ、すぐにこうした包括的な性格を帯びるのは、前にのべた内発的な権利＝義務感覚の欠如と関係があるのではないかと思います。

自由の問題というのは、どちらがお墨付きをもらって我が物顔になれるかという性格のものではなく、むしろこうした外からの包括的な干渉を排除して、できるだけ当事者で解決を模索することが可能な環境を整備すること——つまり、当事者がセッションをするための環境や条件として自由を考える必要があると思います。具体的な問題に関する自由とはそういうものなのです。いわば「環境としての自由」あるいは「規約としての自由」ということです。ところが、現場が自主的に問題処理することを快く思わない者も、自分で動くことは絶対にしないですぐにお上や何らかの組織を頼る者も、こうした考え方には本能的に反対するのです。

去年（二〇一四年）八月に愛知県美術館で開催された写真展で展示中の作品が「わいせつ物の陳列にあたる」と愛知県警から指摘されて、作品の一部を覆い隠すなどの対応を迫られた事件*がありましたが、そこで重要なのは警察が介入したこと以上に、それが匿名の通報によって引き起こされたということだと思います。この事件では、表現をした者とその表現を問題だと思った者は一度も会うことはないままに、公権力が動いて概括的な処理を迫っています。これを権力の横暴とか危険な思想統制などという問題でのみとらえてしまうと、逆に大切なことを見逃してしまう気がします。公権力による外在的で概括的な処理が幅を利かせるのは、「環境としての自由」「規約としての自由」がないこと、まず第一に当事者として自分が動こうとする人たちによって形成される公共空間が存在しないことの方が原因なのです。

＊　「美術館展示写真、愛知県警「わいせつ」一部覆う」参照。http://www.asahi.com/articles/ASG8D65H8G8DOIPE034.html

公共の福祉というのは、権利＝義務感覚と同じく、行為者に内在するものでなければならないのです。そうであってこそ個の自由の上に社会秩序を形成することができるのです。それぞれの個人が内在的にもっている公共の福祉感覚が公の場に出されておたがいに検討されることで具体的な問題に即して、内発的権利＝義務感覚と同じように、それと密接に関連して、内在的に公共の福祉感覚が醸成されるのです。ヨーロッパ由来の法理でやっていくと、そういうふうになります。それは、ヨーロッパで自生的に生まれた近代精神の基礎にある健全な感覚です。そして、当初――前にのべた三段階のうち第一段階「具体的で固有な力を実感できている状態」のとき――はそれが機能していたのです。それが段々機能しなくなっていった理由はすでに見たとおりです。ところが、日本では近代精神が自生ではなく移入されたがために、この健全な感覚がだんだん機能しなくなったのではなく、もともと根づいていなかったのです。

いま、自民党は憲法改正案で、憲法でいっている「公共の福祉」を「公益および公共の秩序」に改めるといっています。「公益」とか「公共の秩序」とかいうのは、「公共の福祉」よりも実体的で客観的に存在するものとして考えられていますから、外在的な制約であることをもっとはっきりさせようとする意図をもって改正を考えているわけです。

この憲法改正案の解説では、「公共の福祉」といっても抽象的でわからないから、より具体的に「公益」すなわちみんなの利益、「公共の秩序」すなわち公認社会で通用しているルールというかたちで具体的にわかりやすくするんだといっているのですが、わかりやすくという名のもとに、より外在性をはっきりさせようとしているのです。実体として外にある「公益」と「秩序」に制約されているんだということにしたいということなのだと思います。

これは、自由権の根本にふれるものですから、ある意味では、九条改正よりはるかに重大な問題をはらんでいると思います。僕らは、自由権の制約は内在的なものでなくてはならないということを、もっともっとはっきりとさせていかなくてはならないのではないかと思います。そのためには、ひとりひとりが内発的権利＝義務感覚と内在的公共の福祉感覚に目覚める必要があります。

自由をめぐって擡頭するものと没落するもの、新旧交代の兆候

そういうかたちの憲法改正を進めようとする方向に対する批判として、これは「強権的」であるという人たちがいますが、実際には、権力が強くて圧倒的になりつつあるから、こういうものが出

てきたのではなくて、逆に実質において弱くて、現場で発生する問題に対応して具体的に処理する能力を失っているから、そうなってきているのだと思うのです。下からの声や活力を吸収して処理しながら推進力に変えることができないから、そういうふうな自動的に働くシステムにしてしまいたいということなのではないでしょうか。

さっきあげた美術館の例でもそうですが、下においては公共性が脆弱で、お上に「とにかく何とかしてくれ」とクレームを入れることしかしなくて、上は上で社会の変化に対応しながら有効な具体策を打ち出すこともできないまま、「法律ですから全部守って下さい」と現実の社会と乖離したような包括的な処置を下すしかない、というのが実態のような気がします。

民主主義も形骸化してきたことだし、ちょうどエリート正規社員と派遣労働者の二分化のように、秩序形成に参与できる部分とただそれに従う部分を実質上二分してしまって固定化することで安定化させようとしているんだといううがった見方もあるようです。ある種の漠然とした傾向性としては、そういうものもあるのかもしれません。このことは現状をどう見るかの問題でかなり重要なポイントだと思うんですが、これはときおりいわれるナチス再来の危険性などという強権独裁の怖れとはある意味では正反対の傾向性です。ですから、強権批判みたいなかたちで対応していても、けっして克服することはできないのです。

逆から見れば、国民が自由に行動する幅が以前よりずっと広がってきたために、それを現場の自由な判断にまかせておくと、統治にとって逸脱したものが生まれてくる恐れが強くなった、ということもあると思います。ただ、大衆民主主義を修正しよう、形式的にはともかく実質的には有産者民主主義にもどろうという傾向は、たとえば新自由主義なんかにはあるわけで、それについては考えなければならないと思います。

いずれにしても、紛争とそれらを解決するためのセッションを通じて、当事者が自主的に解決を模索する環境を整備していく、というとらえかたが日本にはもともと薄かったことが問題なのです。それは右翼にも左翼にも弱かったのです。リベラルは理屈ではそういうことを言っていたけれど、ポリシーやアクションとして具体的に打ち出すことはなかったし、たとえばリベラリスト政治家は、たとえば首相になってそれを露呈した鳩山由紀夫や菅直人のように、具体的な処理能力をもちあわせていない場合が多かったのです。

先ほどの愛知県美術館での表現の自由の問題にしてもそうなのですが、芸術などの創造的な行為において、創造的であるというのはどういうことなのかが問題になります。これは芸術に限らず、創造的な行為の自由というのは、線引きのない世界を設定して、そこに新たなものを創ることを意味します。そういうことが創造的な行為なのです。そのときに、社会にそういう気運というかそうした提案を受け入れる姿勢がないと、新しいものが生みだしにくい。創造にとってはまだアイディアの段階なのに、そこに外から枠をはめられてしまうのでは、創造性の働かしようがない。クリエイティヴな人間にとっては、いちばんいやなことだと思います。

日本の「良識」はむしろこれを逆に考える傾向があって、「芸術とは人々の美意識を喜ばせるものだ」と考えている傾向があります。通常この「人々の美意識」は「公衆において健全とされている美意識」のことなので、既存の通常の価値観から見れば理解不能なものや不愉快なものは芸術ではないことになってしまうわけです。そのうえ表現の自由を特権のように解釈する人が賛成派にも反対派にも多いので、「そんなわけのわからんものに特権をあたえるな」というリアクションが出てくるのだと思います。

英米法の不成文主義・判例主義の世界にくらべると、大陸法の成文主義・制定法主義の世界、[*]さらにはそれを受けて儒教倫理をそこに被せた日本社会では、もともと、自由というもの、公共というものを、既定のものとして考えるメンタリティが優勢なのではないかと思われます。

＊　英米法の世界と大陸法の世界の違いについては、ベストエフォート型とギャランティ型との違いに対応しています。pp.13~14 の注「ギャランティ型とベストエフォート型」を参照してください。

そのうえ、日本のヒューマニズムというのはもともと中国的なところがあって、「人間とは何か」といった問題を良識的なコンセンサス以上に掘り下げて考えようとはしないのです。これは荻生徂徠も言っていますが、そこが仏教との大きな違いで、多くの人間がそんなむずかしいことをいちいち考えなくてもやっていける「道」を聖人が用意してくれたのだから、世界の本質をみずから探求するというようなことをするのではなくて、その「道」に順応することこそが大切なのだというわけです。それが中国の人文主義、中国的ヒューマニズムなのです。これはあの巨大な文明を今日に至るまで維持してきた偉大な思想だとは思いますけれど、それは安寧のためには探求と進化を絶対的に拒絶するという思想であって、魯迅やニーチェが中国を奴隷的と評価する理由も多分そういうところにあるのだと思います。「そんな意味不明なものが芸術であるわけがない」とか「混乱や軋轢を生じさせるようなものは自由とはいえない」といった類のことを何の疑念もなく言える人たちの根底にはこうした中国的なヒューマニズムがあるような気がします。

「人間とは何か」がすでに定まっているならば、「人間にとって善いもの」も定まっていますし、それは時代と地域を越えて妥当し、それを敢えて問い直したり個人レベルで探求することはいたずらに人心の平穏を乱すことになります。では、何によってそれを確認することができるか、それは「良識」だということになるのだと思います。「そんなものが芸術なわけがない」というお決まりの発言の根底にあるのは、「芸術とは良識をよろこばすもの」、「社会とは良識による安定的な紐帯なのだから良識が不必要と感じたり不快と思うものを社会的に保護する必要はない」という考え方なのでしょう。

しかし、創造と進化は常に線引きや枠を乗り越えるところに生まれますし、それは多くの場合個人の思いつきを端緒とします。現在の社会においては、才能ややる気を集約して組織化するやりかたが以前のような爆発的なパフォーマンスを生み出さなくなっている一方で、個人レベルで思いつきを形にして発信し成長させていくことが以前とは比べものにならないほど容易になってきています。この潮流にもっとも積極的に乗ってみずからを飛躍させているのはアーティストとエンジニアです。「資金力と人員の数」という旧社会において最大のファクターだったものが次第に力と合理性を失っていくなかにあって、彼らのセンスとスタンスこそが次の時代の生き方を考えるうえでもっとも参考になると思います、こうした人たちの声を日々ツイッターなどでフォローしていると、そこにはすでにかなりの意識の変化が感じられます。さっき言った中国的という性格と対照させたいわけではないのですが、何というかアメリカ的な感じが出てきています。

ここでいうアメリカ的っていうのはどういうことかというと、日本には芸能界というものがあって、芸能人はみんな芸能プロダクションに所属していますが、アメリカでは、俳優が個人で弁護士や代理人を雇って、自分でマネジメントしている。そして、俳優の協同組合があって、みんなそこに属していて、組合を通じて団体権を主張し、権利行使をしているのです。

それで、いま日本では、若い人たちの間で、日本の芸能界のような「業界」のリアリティが支配しているマスメディアやプロダクションやスポンサー企業、そこでのエライさんどうしの癒着関係で事が運ばれているのが、すごくいやだという感じになっています。特にアーティストやクリエイターなんかは、才能は自分で自立して行使するのが当たり前じゃないかという感じが強くなっているわけです。芸能プロダクションシステムが揺れてきているのもそのせいだと思います。

実際に、クリエイターは個人で自分の作品を世界中のだれもが参加できる発表の場に発表して、自分で活動をマネジメントしているのです。それ自体は登録して投稿するだけだから、まったく簡単で、なんの媒介も要らない。それで世界の人たちから支持されて、デビューしていった人たちがたくさんいます。そういうリアリティの中で生きている人たちは、旧来の日本的システムを軽々と越えてどんどん進んでいっているわけです。エライさんシステムは、これを取り込もうと思ってもうまく取り込めないでいます。

世代間の意識の違いがもろに出てきているのです。そういう関係は、クリエータだけではなくて、たとえばサラリーマンの世界なんか含めて、拡大していっています。サラリーマン世界でよく見られる、上役の前では「おっしゃるとおりです」なんて畏まっていっていながら、いっしょにいた部下と二人きりになると、「ああいうことやってるからだめなんだよ」などと不満を口にする課長に対して、その部下の若いのが、「さっきそういえばよかったじゃないですか」と平然という、そういう光景が見られるようになってきました。

これを「子供っぽい」「社会性がない」といった言葉でかたずけて一顧だにしない人もいますが、マスメディアや組織に依存しないと活動できなかった従来の環境が劇的に変化することによって、「業界に順応すること」と「働くこと」の間に大きな隔たりが生じてきているのではないかと思います。若者のなかに深刻な無気力が蔓延しているのは多分事実だと思いますが、よく聞かれる「働きたくない」という声のなかには「社畜やあのダメな感じの業界人にだけはなりたくない」というニュアンスのものもあるし、そういう傾向は全体的に見てもある程度潜在しているように思われます。働く意欲はあるけれど従来のイメージでの「社会人」にだけは絶対なりたくないという人たちが、みずからのやる気と才能を発揮する道を開拓したとき、社会の状況は急にガラッと変わるのではないでしょうか。多分そのタイミングは、情報・才能・バイタリティの供給がなくなった巨大組織がいきなりの機能不全に陥る時期と重なるでしょうから。

一方で、旧世代のほうでは、ついこの間まですっかりいい気になっていたオーソリティやエスタブリッシュメントが急速に没落する傾向が顕著になっています。たとえば、菅直人にしても、佐野眞一にしても、猪瀬直樹にしても、思いがけないことがきっかけで、現在の状況にまったく対応できていないことが露呈されて、一気に権威を失墜させたわけです。いざとなったら、これまで彼らを支えていた若い人たちがまったくついていかないで、「なにいってんだよ」とそっぽ向いたり、反対にまわったりという状態になってしまう。あのようなかたちは今後いろいろなかたちで出てくるのではないでしょうか。

いま名前があげた人たちにしても、若い世代にとっては「昔はあんなにすごかったのに……」というイメージではなくて「そもそもなんであんな人間が今まで……」という印象が強いのです。そこにも深刻なジェネレーションギャップがあります。上の世代のなかには「きっと若い人たちはすごかった時代を知らないからそんなふうに思うのだろう」と考える人もいるのでしょうが、そうではないのです。若者が景気回復に対する希望をもたないのも、政治に対して関心をもたないのも、バブル期を知らないから、熱い政治の季節を知らないからではなくて、そのバブル期のビジネスや熱い政治の時期のアクティヴィティを得意気に語る人たちに辟易しているからなのではないでしょうか。

自由と平等は両立しうるか

ここで自由と平等の問題にもどりますと、自由と平等は、もし現実において同じ地平で問題にされるなら、明らかに背反するのであって、この自明のことを明確にしないあらゆる議論はまやかしのものになっている、と思うのです。平等主義というのは、自由主義のアンチであって、自由主義とは両立しない。そして、民主主義というのは平等主義にもとづいている。ならば、民主主義と自由主義はそのままでは両立しない。それなのに、自由民主主義、リベラル・デモクラシーというものが、簡単に成立するものであるかのように語られているわけです。

たとえば自由主義者のアレクシス・トクヴィルの議論においては、平等と自由の対決がはっきりと問題にされていて、世界に蔓延する平等の猛威を自由によってどう止めるか、という問題意識に貫かれています。一方で、コミュニストのマルクスだって、レーニンだって、平等と自由が両立しないことははっきり認めているのです。*

＊　マルクスは、たとえば『ドイツ労働者党綱領評註』（『ゴータ綱領批判』の名で知られています）で「平等の権利」はコミュニズム社会が実現する以前には（したがって資本主義社会でも社会主義社会でも）「ブルジョワ的権利」であって、それは自由とは相容れないという立場を採っています。

またレーニンは、たとえば一八七五年三月一八／二八日付エンゲルスのベーベル宛手紙について論じたなかで、「通常、〈自由〉という概念と〈民主主義〉いう概念とは同一のものと見なされており、混用されることもしばしばである。……実際には、民主主義は自由を排除する」とのべています（レーニン［村田陽一訳］『国家論ノート』［大月書店］p.24）。

ところが、近代原理というのは、これらを両立させようとするものなのです。自由・平等・友愛、liberté, égalité, fraternitéの三つが結びつくのだというわけです。確かに自由と平等とは相容れないところがあるけれども、それらを友愛によってたがいに媒介すれば、両立させることができるという考え方なのです。

どうしてそういう考え方ができてきたのか。諸身分間の人格的依存関係によって人々が相互に結びついていた中世の社会で、王とか領主とかの支配の側に立っていた者たちと、農奴とかの被支配の側に立っていた者たちと、そのどちらからも、それぞれの事情、それぞれの動機にもとづいて、そういう人格的依存関係から逃れたいと思うようになっていった。この人格的依存関係からの脱却が「自由」として観念されていったわけです。そして、この依存関係から逃れたものは、ある意味においてーー消極的な意味、つまり何々ではないというネガティヴな意味においてなのだけれどーーおんなじじゃないか、おんなじところに立っているといえるじゃないか、というところから、新しい社会関係をつくっていかなければならない。とすれば、自由になって、同等の立場に立っている者がたがいに友愛で結ばれれば、その新しい社会は自由と平等が両立する社会になるだろう、というわけです。

自由と平等は相反するものだけれど、にもかかわらず、両立させなければならないという、そこから始まったのが近代だというわけです。そこには二つの認識が含まれていて、一つには、封建制が解体されて、みんなが人格的依存関係から解放されたということは、いったん、なにものにも依拠できないけれど、なにものにも依存していないという消極的な意味、ネガティヴな意味でみんなが同じ自由のもとにある、すなわち自由にして平等だという可能状態、つまり潜在的な自由・平等状態にあるということなのだという認識、それからもう一つには、これから構成する近代社会原理によって、このネガティヴな可能状態をポジティヴな現実状態に転化することができるはずだという認識、その二つの認識があったと思うのです。

その後者の認識、ネガティヴに仮想される自由と平等の両立状態をポジティヴな両立状態に転化していく可能性というのは、実際には社会が成長発展する近代化の過程のなかで実現していくのであって、いまはその転化の過程にあるのだ、というふうに確認されていました。逆にいえば、近代が内在的に更新され発展していくためには、自由と平等が両立されるという理想状態が導因になっていなければならなかった。それが、「希望」という言葉が美しく語られる近代化の時代だったのです。

ところが、いまや近代の内在的更新ができなくなってきたわけです。近代原理がすっかりゆきづまって、近代原理のキアズマス*、もともとの命題を追求していくと、その命題の否定に帰結してしまうという逆転現象が現れるようになってしまいました。そこにおいては、もはや自由と平等は両立しないということ、これまでいわれていたように、やがては完全に両立するというようなこともないということが明らかになってきてしまったのです。

＊ pp.29～30の注でのべたように、マクルーハンは『グーテンベルクの銀河系』のなかで「西欧個人主義のキアズマス」ということをいっています。「キアズマス」(chiasmus) というのは、「最後の相が最初の相のまったく逆の性格をあらわしてしまうこと」なのです。

個性をかけがえのないものとして個人の尊厳を唱えた西欧個人主義は、万人がそれぞれにそうした尊厳を「所有」しているという思考様式のために——だと考えられると僕らは思います——、一面で平等を唱えることになっていって、その平等圧力の昂進のなかで、個性を表現しようとすると、かえって無個性な普遍的人間性の表現になっていってしまうというディレンマに陥っていったのです。これと同じことが、個人主義だけではなく、近代社会原理のすべてにわたって起こってきているのではないか、と思うのです。

さまざまな形をとって生じる軋轢を、自由と平等は両立しますという理念、従来通りの普遍的価値としての人権や将来の約束、そういったものを振りかざしつづけることによっては、もはや抑えられなくなっているのです。そうかといって現代社会を正面からとらえ直して新しいソリューションを模索しようとすることも、成長幻想依存の惰性態となった社会にはできない。そういう内的更新ができないままに、旧いヴァージョンで押し通そうとして立ち往生しているのが、現在の公論の世界なのだと思います。ポリティカル・コレクトネス——政治的・社会的に公正・中立とされる言葉や表現を使用することを強いる習慣、いわゆるＰＣですね——などというものが出てきて、それをみんなで礼儀のように守ることでただただ形式的に近代原理を護持しようとしているのは、その表れといえるでしょう。

「自由で平等な社会」の破綻と大衆社会・大衆国家の登場

そういう局面というのは、実は近代の歴史のなかでも、いままで何回かあったことなのです。そのたびに、一応、内在的更新がなされてきたのです。けれど、それはもともと高く掲げられた近代の理想——自由と平等の両立というのはその最たるものの一つだったでしょう——、その理想を次々にレヴェルダウンすることによって更新されてきたのです。

フランス革命当初は、この革命が普遍的な人類の友愛によって世界共和国の形成につながるとされていたわけです。急進派のジャコバンはそういう考えで、哲学者のカントなんかは、その世界共和国を熱烈に支持していた。ところが、実際にはそうはいかないで、すぐに、直接的な全人類的友愛によってではなく国民国家という「想像の共同体」の内部での国民相互の友愛へとスケールダウンして、国際的には国民国家間の関係によって媒介的にしかハンドリングできない状態に立ち至ったわけです。

そして、その状態の下でも、国内的にはブルジョワジーとプロレタリアートの対立をはじめとする階級対立、国際的には国民国家間の利害対立によって友愛なんてかすんでいってしまって、ついには第一次世界大戦という世界戦争、ロシア革命というプロレタリア革命に帰結することになってしまった。ここで一回、近代社会原理が原理的に破綻したといえると思うのです。

友愛を媒介とした自由な平等、平等な自由というかたちで、自由と平等は両立するという考え方は破綻してしまった。だから、第一次大戦後に、カール・バルトやカール・シュミット、マルティン・ハイデッガー、ニコライ・ベルジャーエフなど、何人もの思想家が「近代の超克」の思想を打ち出して、社会や国家も深刻な組み替えが図られることになったわけです。そのとき、現実的な政治運動として出てきたのは、平等原理による同質化という運動だったのです。

平等というのは同質であることによって確保されます。ある本質的な点においてみんな同じだから平等になれる。ところがいま、国民国家のなかでは、異質な者たちがそれぞれ自由を掲げて対立しているから、平等が自由と背反してしまうんだというわけです。だから、同質性の基準をはっきりと定めて、この点ではわれわれはみんな同質だということを確認して、その同質性において主権を構成すればいいんだし、しなければならないんだ、ということになっていく。

これはもともとネーション・ステイツを形成するとき建てられた論理と基本的に同じです。けれど、その同質性の基準だったナショナリティという「想像の共同性」が共同性としては破綻してしまった。そこで、もっと明確なかたちで同質化の基準を確立して、それに拠って結集し直そう、主権を構成し直そうとして成就されたのが、最初は、レーニンのボリシェヴィキ革命だったわけです。ここでは、前にいったような労働を軸としたプロレタリアの内発的権利＝義務関係に、すべての構成員を一元化して、全員が労働者であることによる同質性をつくりだそうとしたわけです。これがプロレタリア民主主義です。

これに対して、初期ナチズムは、ボリシェヴィキを模倣しながら、同質性の基準を階級におくのではなくて、民族ないし人種におくことによってアーリア民主主義を打ち立てようとしたわけです。これは、ロシア革命のようにみんなが労働者になるのではなくて、みんながアーリア民族にはなれませんから、アーリア民族だけで主権を構成しようということになるわけです。いずれにしても、現実には、どちらも強制的な同質化だから、独裁になります。でも、同時に、これは民主主義なのです。というより、同質性の確立によって自由と平等を媒介しようとする点においては、こっちのほうがずっと近代デモクラシーの原理に忠実だとさえいえます。

これらに対して、独裁にいかないで、ということは、逆にいえば、ほんとうの同質性をつくりだそうとしないで、同質性まがいのものを新たにつくりだそうとしたのが、アメリカです。そのときに同質性まがいのものとして持ち出されたのが、大衆すなわちマスというレヴェルで、その結果出てきたのが大衆消費社会と大衆民主主義国家であったわけです。大衆massというものにすべての構成員を同化させることによって自由と平等の背反をなんとか調停し均衡させようとしたわけです。そして、その均衡をもってあたかも両立であるかのような外観を維持することになったということです。

この大衆という同質性基準による統合というのは、近代社会原理のさらに大きなレヴェルダウンを意味していたといえます。というより、前にのべたように、これは、内在的権利＝義務感覚、権利＝義務関係の内面化という点から見て、近代原理の根本の変質を意味していたといわなければならないし、それによって頽落への途をたどることになったのではないかと思います。

未来へ前のめりになっていく態勢の終わり

原理のレベルで致命的な妥協があり、それによって生じている本質的な矛盾を粉飾するために欺瞞が必要になり、恒常的な欺瞞が体質にまでなって安定する――そういう過程が進行してきたのだと思います。その恒常的な欺瞞が体質になった最たるものは、さまざまな問題は経済が成長し社会が発展すれば解決されるという成長信仰です、発展しつづけるためには自由と平等を基調にしたこの体制が必要不可欠だとして、その時々のさまざまな矛盾さえも成長発展志向の中に巻き込むことで推進力に変えられるという認識を共有するような意識操作がおこなわれています。こうした「将来の約束」と「未来志向」は、直面している事態を原理的に考え直そうとする態度を否定して、とにかく成長発展志向にみんなを乗せていくことを通じて推し進められてきたわけですが、それでも経済成長が曲がりなりにも実現されているときはそれなりの現実味がありました。

けれど、それはもともともっていた性格として前のめりの自転車操業的なものだったわけで、それが近年「成長幻想」の無理がいろいろなところから明らかになっていくにしたがって、ボロボロと崩壊してきているように思えます。かつては推進力へ転化することもできた内的な矛盾は露骨に矛盾として表出してくるのに対して、成長幻想に巻き込むことでしか問題の処理ができない体質になってしまったエスタブリッシュメントはもはや現実味と信用を失ってしまったかつての約束をくりかえすだけの痛い存在になるか、社会の新しい可能性も模索しないまま一気に絶望的になって人類の存亡の危機とか言い出すか、どちらかになってしまっています。

考えてみれば、これはいま始まったことではなくて、近代社会というのは、その出発当初から理想状態、窮極社会に向かって絶えず前進しているというタテマエをつねに前面に立てて、自己更新を続けてゆくというかたちで引っ張っていかなくてはならないものだったのです。それを進めていく過程では、発展が生じさせる矛盾によって生まれた格差も、われわれも成長の分前にあずからせろという平等を求める声が次の成長への推進力ともなるので、矛盾はかえって発展に寄与していました。

ところが、大衆消費社会・大衆民主主義国家を範型にした段階で、これで解決した、つまりこのまま外見上均衡させていけばいいんだというふうになったことで、まだ未完じゃないか、ちゃんと実現しなければならないじゃないかという現状打開を求めるエネルギーを、それまでのように理想状態へ進んでいく推力に転化するのではなく、体制内化して包摂するようになっていってしまったわけです。だから、仮構的なものであれ近代が本来もっていた推力を失って、不満を体制内部に包み込んだまま頽落していくことになったのだと思います。

そのときに前のめりにさせていくうえでもっとも強く押し出されてきたのは、政治的な自由や社会的な平等といった理念ではなくて、経済の成長というイメージだったのだと思います。大衆社会・大衆国家において、大衆というのは理念で統合されるもの、意識的なものによって領導されるものではありません。無意識的なものによってこそひとまとまりになって動くのが大衆 mass です。そのとき、その無意識的なものを動かしているもっとも大きなものは欲望です。大衆は、大衆に共通な欲望によってこそ統合され、領導される。それは、意識としては経済的実利ということになるわけです。

と同時に、大衆社会において経済成長してゆくためには、大量生産・大量消費に依拠していかなければならない。そのため、生産における生産力主義、消費における欲望自然主義が尊ばれるようになっていったのだと思います。みんなでどんどん生産して、みんなで欲しいものをどんどん消費していくことが奨励されることで、平等主義が強まったし、また反対に平等主義がこれらの思想と体制を支える関係になっていったのです。ところが、いま、生産力主義も欲望自然主義も、どちらも最悪の結果を露呈しはじめているわけで、社会を普遍的な富を生み出す大きな工場のように見なす考え方をあらためなければならないとすれば、当然のことながら社会の構成員に対する見方も考え直す必要があるはずです。それと連動して平等主義が揺らいできているのではないかと思います。

新自由主義は大衆を蔑視しながら大衆に依存している

そこで問題なのが、大量生産・大量消費がゆきづまって、もはやこれまでのような経済成長社会は望めなくなったところで、揺らぎはじめた平等主義を打破して、自由主義を再生することで資本主義の活力を取りもどすといって、新自由主義、ネオリベラリズムが出てきたことです。

左翼やリベラルの人たちは、ネオリベラリズムが弱者保護の枠組を破壊しようとしているのだから、社会権を守れ、福祉国家を守れといって、雇用形態の変化や社会保障の改革、国家が掌握していた部門の自由化などを考えようとすること自体が反動的なことであるかのように見なしたわけです。しかし、逆に国家レヴェルの大衆民主主義が官僚制を通じて社会レヴェルの自由を束縛する面も出てきているわけです。したがって、ただ排斥するだけではなく、その束縛をどうするのかを考えなければなりません。となると、われわれはここで、新自由主義の主張といま必要になっている自由主義の主張とを明確に区別しなければならないのです。

これからの社会について考える上でもう一度自由について考える必要があるし、その必要性はどんどん高まっています。しかし、それは新自由主義者が考えている自由とはかならずしも一致しないし、背反するところもあるのです。まるで特権のような響きをもつ自由や金儲けのための障壁除去でしかない自由、当事者の自主性よりも上が認可するかどうかのみが最大の問題になるような自由が、果たしてこれからの社会を切り開いていく自由なのでしょうか?

新自由主義の人たちは、あえて好意的に解釈するならば、健全なブルジョワ性にもどろうとしている人たちで、本音のところでは、同権化して社会権をあたえて同じ水準にまで形の上で引き上げてしまった貧民たちなんかといっしょに社会を構成していたら堕落するばかりだから、牽引力も活力もない部分を再び分離したいと考えているということもできます。

ところが、新自由主義者たちは、実は大衆消費社会を壊すことなんか考えてもいないのです。大衆消費の拡大なくして経済成長はないのですから。そして、経済成長なくして、彼らが依存している金融資本の利潤増大はありえないわけですから。彼らは内心では大衆社会の「能無し労働者」と「無志向的な消費者」を馬鹿にしてお荷物だと思っているのですが、金儲けのためには、結局のところ、その蔑視している貧民大衆に依存するしかないわけで、大衆消費社会の負の遺産を固定化して永続化していかざるをえないのです。

実際に、結局二〇〇八年のリーマン・ショックを呼ぶことになったサブプライム・ローンというのは、カネあまりでだぶついている資金を返済能力のない低所得者に貸し付けることを通じて、金融資本家が一時的に大儲けするというものだったわけです。金融資本は、低所得者を利用したわけですけれど、それは彼らに依存したということでもあるのです。資本家たちは、あいつらは国家にぶら下がりすぎだから働かないんだ、だから、国家がカヴァーしていた公共領域のサーヴィスをやめて、資本のビジネス領域に変えろといってるわけですが、これだって、その新しいビジネスの顧客は、これまで公共サーヴィスを利用していた大衆なのですから、大衆に購買力をつけなければ儲けられないことには変わりはないのです。

大衆民主主義体制は壊したいけれど、大衆消費社会はそのまま発展させたいというわけです。虫のいい話です。それは、前にふれた新旧交代でいえば、「新しいように見えるけれど実は旧いもの」にすぎなくて、マスを排撃しているように見えて、根性はマス依存だということです。マスをのりこえるつもりが、いつのまにか、ふたたびマスにはまりこんでいく。そして、この「みずからが蔑視しているものに依存している」関係というものこそが、実はいま底なしの頽廃と堕落を生んでいく関係になっているのだと思うのです。この関係をよく考えてみなければなりません。

未来へ前のめりになっていく態勢が終わりを告げていくなかにありながら、結局彼らも、理念は棄てて、経済オンリーで、経済成長していけばなんとかなるという前のめりでいくしかなくなっているわけです。

それじゃどうしたらいいのでしょうか。ほんとに「新しいもの」は、まだはっきりしたかたちをとっていないのです。いま、いったいどのようなものとして未来社会を予示していったらいいのか、定かになっていません。そうした「いまだないけれどやってきつつあるものをあらかじめつかんで示すこと」という prefiguration（予示）の手かがりをつかんでいくうえで、「生産力主義と平等主義との内的な連関」、そして「みずからが蔑視しているものに、みずから依存している」関係というのは、非常に重要な視点になると思います。

没落と擡頭が交錯するとき

いま現れている思想的ゆきづまりは、現実には脱近代への過程が進んでいるのに、近代的なものの発展という認識枠組に依然として囚われているから起こっているものであって、その現実と認識との落差が、二〇一五年から二〇二〇年にかけていよいよ明らかになっていって、私たちひとりひとりが生き方を問われることになるだろうと思います。*

＊　この発言は二〇一五年三月のものです。

それには新しいテクノロジーの発展も関連しています。それは、新しいテクノロジーが引き起こす社会の変化に対して、どういう態度で臨むかという問題になって現れてくるんだろうと思われます。そういう状況が出てきているときには、ある個人が、いまの時点では大きな社会的な力をもっているように見えても、そこのところで採るべきスタンスを誤ると、たちまちのうちに没落の途にふみこむことになりかねないのです。むしろ、そこで引き起こされている社会の根幹の変化以前の社会に大きな力をもっていたことが、かえって没落を引き起こす要因にもなるのです。

国際問題とか政治問題とか大きな問題に限りません。もっと身近な、たとえば就活でどういう企業を選ぶかとか、ネット上のどういうコミュニティに参加するかしないかとか、さまざまな問題を、「これからの時代をどう生きていくか」という判断基準から考えていくことが、特に若い人たちにとっては、とても重要になってきていると思います。その選択によって、ほとんど正反対のことになってしまうのです。

従来の社会で大きな力をもっていた者は、すべてが根幹から変わっていく過程においては、自分が保持している影響力ややりかたに固執することで没落のスピードを速めたり、決定的にしていくことになるでしょう。その一方で、旧社会の価値観からは評価に値しなかったような、微小で弱小で浮動的な存在が今までなかったようなタイプの協同を実現したりして、突如として最先鋭に登場したりすることもあるだろうと思います。旧勢力は旧社会の力を動員してそれに対処しようとしてさらに没落する——そういう時代になってきているのだと思います。

橋下徹に対して当初は論じるにも値しないというような余裕の態度を取っていた知識人・文化人が、橋下がいよいよ擡頭してくると急に危機感と変な使命感を覚えてこれをつぶしにかかって、それがきっかけで逆に自分たちがすっかり没落してしまうということが以前に起きましたけれど、同様のケースがさまざまな場所で起こってくると思います。*

＊　たとえば、二〇一二年一〇月に『週刊朝日』に「ハシシタ　奴の本性」を書いて、「橋下徹のＤＮＡをさかのぼり本性をあぶり出す」というキャッチフレーズのもとに差別的な言説を展開し、左派・リベラル系の知識人・文化人に支持・養護されながらも、多くの批判を浴びて、一気に凋落した作家の佐野眞一などがその一例です。

二〇一〇年というのは非常に深いところで地殻変動のようなものが始まった年なのかもしれないと思います。「影響力はあるけれども多分これからダメになっていくだろう人」と「特に力はないけれど、きっとこれから面白い存在になっていくのではないかと思える人」がだんだんとはっきりしていく過程が始まったのもその頃だったと思います。人間を大まかに振り分ける過程がもう二〇一〇年頃から進行していたのではないかと思われます。その頃の日本はちょうど民主党政権でしたが、これに対する評価なども「仕分け」の試金石になっていた気がします。

僕らは民主党政権樹立の最初から、これは「民主革命」なんかじゃない、自民党政権よりひどいことになるぞ、といっていたのに、まわりの人たちは、ほとんどが「そんなことはねえよ」「自民党よりずっとましだよ」「おもしろいことになってるじゃないか」といって、枝野・蓮舫の事業仕分けに喝采を送っていたわけです。民主党政権が崩壊した後も、なかなか夢から覚めなかったのです。リベラルの受け皿探しなんかをやっているうちに、従軍慰安婦問題や尖閣問題を契機に日韓関係、日中関係についての判断も誤るようになっていく。なし崩しに軌道修正するのだけれど、かえって泥沼にはまっていく感じになってしまっているわけです。

いまはまだ、俺たち、私たちには関係ないっていってられる人たちもいるのだけど、そういう人たちも、もっと身近なところで判断、決断をせざるをえないことになってくるのです。それがこれからの五年です。二〇一五〜二〇二〇年、試練のときなんです。[*]

＊ この発言は二〇一五年三月のものです。

第三章

資本と自由、労働と自由

労働の近未来――約半分の職種が消滅する

僕らが直面している社会の大きな変化をもたらしている要因として新しいテクノロジーの発展が大きく影響しています。それが僕らが求める自由に対しても、プラス・マイナス両面で大きな作用を及ぼしています。テクノロジーの発展にともなう新しいトレンドについては、検討すべき問題がたくさんありますけれど、ここではそうしたトレンドによる社会の変化として出てくる労働の変化、仕事の変化という大きな問題を考えてみたいと思います。

労働 labor あるいは仕事 work というものは、僕らの生活時間のなかでもっとも大きな部分を占めています。ですから、ここにおいて自由であるか、どの程度まで自由であるかは、自由を考えるとき、非常に大きな問題なのです。また、近代における自由をめぐる核心的な問題が「所有」にあることをのべましたが、この所有の問題は何よりも生産手段の所有に集中的に表れるのであり、僕らの労働あるいは仕事は、それに直接関わっているのです。ですから、労働あるいは仕事における自由というのは自由な生き方をするうえで決定的に重要なのです。

新しいテクノロジーの発展、特に最近のＩＴ（Information Technology 情報テクノロジー）とＡＩ（Artifical Intelligence 人工知能）の発展によって、人間にしかできなかった仕事を機械が代わってやれるようになってきたわけですが、それはどこまで進むのか。そして、労働あるいは仕事における自由にどんな影響を及ぼしており、また及ぼそうとしているのか。

オックスフォード大学のＡＩ研究者が書いた「雇用の未来」という論文*があるのですが、その論文では、アメリカの労働省のデータを使って、今後コンピュータリゼーションによってどんな職種がどの程度影響を受けるかを分析しています。七〇二の職種について調べているのですが、これらの職種のうち、約四七％の職種が、今後一〇年から二〇年の間に自動化されてしまって、人間の手から離れてしまうだろうという結果が出ているのです。四七％、約半分の職がコンピュータに取られてしまう。

＊ *The Future of Employment : How Susceptible are Jobs to Computerisation?*, by Carl Benedikt Frey and Michael A. Osborne, September 17, 2013, oxfordmartin.ox.ac.uk

半分にも及ぶというだけではなくて、これから自動化されて機械がやることになる職種の多くが、ブルーカラーのワークではなくて、ホワイトカラーのワークだということが特徴的です。これからの時代には、肉体労働ではなくて知能労働が機械に取って代わられることになっていくのです。

もうひとつ、これに関連した論文があって、それはダビドフとマーロンという研究者が書いた「ロボットは二〇二五年までに一億人の仕事を奪う」という論文[＊]で、ハーバード・ビジネス・レビューに載っています。それによると、表題通りに、ロボットは二〇二五年までに一億人の仕事を奪うという分析結果が出ているのです。これは主にインテリジェント機器の導入がもたらすものです。

＊ *What Happens to Society When Robots Replace Workers?* by William H. Davidow and Michael S. Malone, December 10, 2014, *Harvard Business Review*

例としてあげられているのは、台湾の鴻海精密工業（フォックスコン）という企業の場合ですが、ここで使われている「フォックスボット」という作業用ロボットのコストがどんどん下がってきて、一台二万ドルにまでなってきた。そうすると、労働者の最低賃金より割安なのです。そこで、いまいる一〇〇万人の労働者を一〇〇万台のロボットに入れ替える方針をすでに出しているというのです。それにしたがって、入れ替えが進んでいて、二〇一八年にはライン作業の七〇%がロボット化されるということなのです。*

＊『日経ビジネス』二〇一九年一月の記事によると、結局二〇一八年中に七〇万台という目標は達成できず、一〇万台にとどまったとのことです。小さな部品を扱う組み立て工程ほど自動化は難しく、そこではまだ人間の労働の質に到達できないでいるようです。しかし、ロボット化は引き続き進められています。
https://business.nikkei.com/atcl/gen/19/00012/012500003/
二〇二一年三月には、今後新設する工場はすべてIoTのスマート工場化すると発表しています。
https://www.nna.jp/news/show/2166854

いまもうロボット化は技術開発の問題よりもコストの問題になってきているのです。ロボットの導入費用と労働者の賃金との比較です。労働者の賃金より安くなれば、導入は一気に進みます。*たとえば、リシンクロボティクスというロボットメーカーは、作業用ロボット「バクスター」を数年後には一体五〇〇〇ドル以下で製造できるというのですが、そうなれば、世界最貧国の最低賃金労働者の賃金を下回るコストになりますから、導入が一気に進むだろうといわれています。

＊ ロボット化については、コストだけではなく、工程の特定部分は人間がやったほうが効率的だということもわかってきています。しかし、これもやがてＡＩ代替で解決されていくかもしれません。

昨年（二〇一四年）一二月のニューヨークタイムズの記事[＊]だとアメリカでは働き盛り男性の六人に一人が無職だというのです。大きな理由は低賃金の仕事しか見つからないことにあると書かれていましたが、ここには、すでにＩＴやＡＩによる代替の影響が現れているといえるのではないかと思います。

＊ 「働かない男」が増えている米国の実情　東洋経済オンライン http://toyokeizai.net/articles/-/56242

これはブルーカラーワーカーのロボットへの入れ替えですけれども、同じことが、今後はホワイトカラーワーカーにおいても進むということです。こっちのほうでも、コストはどんどん低くなっているからです。だから、さっきの「雇用の未来」という論文を見ても、ビッグデータのアルゴリズムが「パタン認識に依存している非定型的な認知」にもとづく業務にどんどん入り込めるようになってきているというのです。それによってもっとも早くコンピュータに取って代わられそうな業務として彼らが挙げているのが、電話による営業活動です。

というか、もうすでに、電話営業は人間の手ではあまりおこなわれなくなってきています。以前は独りで家で仕事していると、墓地いかがですか、ワンルームマンションに投資しませんか、なんてうるさいほど電話がかかってきたものですけど、最近はさっぱりかかってきません。

この手の未来予想はバラ色のものもお先真っ暗なものも大体は外れるものですが、結論の前提となっている部分自体は結構当たっていたりするのです。いま紹介した予測もおそらくそうで、全面的ロボット化のリアリティがホワイトカラーに及んできているのは多分本当でしょう。たとえば、ターゲティングが曖昧なまま、それを人員数やフリーケンシーといった量で補うような勧誘や広告のやり口は、現代のマッチング技術とその普及から見れば、何というか押売りみたいなアナクロさを感じさせます。ＰＣ（パーソナル・コンピュータ）という単一のメディアの中でターゲティングから宣伝、営業、結果の分析、フィードバックまでが切れ目なく同時進行的におこなわれていて、ホワイトカラーの人員がいなくても真の頭脳たる人間とＰＣさえあれば充分だ――という業態が現実味を帯びてくれば、既存のしがらみによる拘束を受けない新規参入者や個人起業家などは当然そっちの方向性に乗るでしょう。こうしたものを使うことでアイディアが起業に至るまでに必要な時間、コスト、リスクを大きく下げることによって、アイディアそのものがもつ社会的な価値を相対的に上げることになるかもしれません。それにプログラミングのスキルが加われば鬼に金棒です。

まず、それ以前の問題として、いまはターゲティングがネットを通じたデータでできるようになりましたから、広告までがターゲティング広告に代わってきてしまっているのです。となれば、以前のような効率の悪い電話勧誘なんか廃れてしまうわけです。アマゾンなんか、「お前、俺がそういうものに関心があるってよくわかったな」と感心するような「おおすめ商品」を提案してきます。ひとりひとりがどんなものに関心を示してチェックしたかというデータから、アルゴリズムでやっているわけです。そういうことができるようになってきましたから、電話営業なんて要らないわけです。

そういうふうにして、いろんな職種がどんどんなくなろうとしているのですが、いまなくなろうとしているものの多くが知的ワークなのです。簿記・会計の仕事、データ入力なんかはもちろん、経営計画を立案する作業なんかも、比較的早くコンピュータに取って代わられるだろうといわれています。考えてみれば、これだって、ある程度複雑とはいっても、パタン認識に依存している作業ですから、ＡＩがパタン認識ができるようになった今では、コンピュータにやらせたほうがいいのかもしれません。

従来、機械化・自動化によって仕事を奪われるのは、肉体労働や単純労働に従事している労働者であって、知的労働や複雑作業に従事するホワイトカラーが、機械やシステムを使って、そういう肉体労働や単純労働を代替するというかたちだったのですが、いま起こっているのは、その知的労働や複雑作業自体をコンピュータがおこなうようになって、ホワイトカラーがどんどん仕事を奪われていくという事態であるわけです。彼らがもっているような知識や技能がもう要らなくなっているということなのです。

さっきもいったように、実際に代替されるかどうかはコストの問題でもあって、機器やロボットのコストのほうが労賃より高ければ当面は導入されません。だけど、技術の発展によって、もっともっと安くできるようになるだろうから、多くの職種が人間の手を離れていくだろうと予測されているわけです。

仕事がなくなるととらえるか、労働しなくていいととらえるか

こういうような状況のなかで、人間がおこなう仕事というのは、いったいどういうものになるのでしょうか。

まず直接的には、大失業時代がやってくるんじゃないか、と考えられるわけです。確かに、従来のような意味での労働市場は圧倒的に買手市場になるでしょうが、それは従来社会の雇用や賃労働のリアリティはそのままにいわゆる「失業」がどんどん拡大していくというよりも、世の中の仕組み自体が大きく変化していく結果、従来型の雇用や賃労働のリアリティが全面的に崩壊していくというふうに見るべきだと思います。「このままじゃ失業がどんどん加速してしまう」みたいな話を聞くたびに感じるのは、「雇用」も「失業」もあくまでも従来社会の指標であり観念にすぎないという相対的な見方が必要な時代になっているんだということです。だって、現代の状況は従来社会の本質は変わらないままにマイナスの指標だけが拡大しているという性質のものではなく、まさに社会そのものの実質が大きく変わろうとしている時期にさしかかっているわけですから。そういうふうに考えれば対応のしかたも変わってくるのです。

「働くとは雇用労働のこと」という観念を基礎に社会や経済を考えるという発想は、人類史上全体の中で見れば、ごく歴史の浅いものです。いま起きている変化を表面的にとらえたうえで「大失

業時代によって社会が崩壊してしまう」と心配するよりも、この変化を本質的なものとしてとらえたうえで新しい社会像の可能性を模索した方がよいのではないかと思います。

それと同時に、雇用労働の呪縛を打破しながらもなおも「働く」ことのリアリティを考えるためには、いま起ころうとしている事態を「コンピュータが人間の仕事を奪う」とか「情報化の負の側面があらわになった」といった側面からばかりとらえないで、人間が個別に新たな模索を始めるために必要な環境が整いつつあるという側面にも注目しなくてはならないと思います。そこから自由の新しい可能性も開けてくるのです。

それから、従来の労働と現在の情報化の関係を究明しないままに失業と情報化の問題を考えるのも不毛な議論しか生まないと思います。産業革命の時代にも、「機械化によってアッセンブリーライン（流れ作業工程）ができた」というのではなくて、むしろ「機械化以前に作業の効率化・合理化のためにつくりだされた流れ作業方式が機械を求めたので機械化が進められた」というのが実際の順序だったわけです。[*] それと同じようなことがいま情報化において起こっていると考えるべきです。機械化が流れ作業方式による大量生産に仕事を変えることから生まれたように、情報化は仕事のしかたを根本的に変えるために現れてきたものなのです。

* ジークフリート・ギーディオンが『機械化の文化史』のなかで指摘しているところによると、産業革命期にアッセンブリーライン（assembly line 流れ作業工程）がつくりだされたのは、機械化以前のマニュファクチャ（問屋制手工業）の段階で作業の効率化・合理化が進んだ結果、それに応じて生み出されたものであって、

機械化の結果ではないとされています。

「労働を節約し、生産の向上を図る工夫を備えたアッセンブリーラインの発展は、大量生産への期待と緊密に結びついている。アッセンブリーラインは一八〇〇年頃に、イギリス海軍の軍需部糧食課でビスケットのような手のこんだ物の製造にも導入されていた。しかしそこでは機械は用いられず、生産は純粋に手工業的な過程をとって行なわれていた。これとよく似た生産過程が、一八三〇年代にシンシナティの屠殺場でも発達した。この場合でも、組織的なチームワークをとって豚の屠殺と精肉化の作業が行なわれたが、その過程に機械は介在していなかった。このように、アッセンブリーラインの精神は、複雑な生産過程に機械が適用される以前にすでに存在していた」(『機械化の文化史』鹿島出版会、一九七七年、p.73)

ＰＣによって仕事を奪われる以前に、われわれの業務自体がＰＣによる代替がもっとも合理的であるような性質のものに変化しているのであって、そこに生じた潜在的需要が情報化技術を発展させてきたのだと考えれば、最終局面のみに注目して情報化を危険視するような見方はナンセンスな議論だということがわかると思います。究明すべきなのはこの一連の変化が何を志向しているかのほうでしょう。

その点では、現在の情報化を近代の産業化とは異質のものとしてとらえることが必要だと思います。コンピュータリゼーションをこれまでの生産工程の効率化・合理化を進めるためのものとしてとらえるのはまちがいなのです。産業革命によって進められた近代の産業化というのは、基本的には「動力の創出」と「力の変換」の問題であって、そこでおこなわれた機械化というのは、人間の手・足・歯などの身体能力の外部化であって、逆に見るならば、人間の身体の外部にある機械を自己のオルガン（器官）とするオルガニズム（有機体化）であったわけです。

　これに対して、いま情報革命によって進められている脱産業化というのは、基本的には情報の編集をどのようにするかという問題に関わるものであって、人間の中枢神経組織の外部化であるわけです。逆に見るならば、頭蓋骨の外側というか、脳の皮膚の外側にあるコンピュータ化された情報回路を自己の神経組織として取り込むものであるといえます。それは、近代の産業化がもたらした効率化・合理化とは根本的にちがう性質のものです。新しい革命なのです。

　ＰＣの進化の恩恵を肌で感じている者にとっては、「情報化やＰＣの高度化が仕事を奪う」みたいな話は一般論としては納得できても、実感としてはまったく違和感を覚えることでしょう。だって以前ならばある程度の組織に加入し、なおかつ複数の人たちからの協力なくしてはできなかったようなことが、思いつきですぐに独りで自由にできてしまったりするのですから。その意味では、コンピュータリゼーションがもたらしているものは、省力化や迅速化のほかに、というかそれ以前に仕事そのものを創るクリエイティヴな側面があると思うのですが、「仕事とは他人から課せられるもの」という認識だとこうした側面が全然活かされません。この辺もポスト雇用時代と情報化を考える上で重要なテーマになってくると思います。

　ただ、新しい技術による恩恵はしばしば正反対の方向性を生むと言われています。たとえば、冷凍技術が開発されたとき、一方では、都会の集合住宅などでも、いろいろな生鮮食品が自宅の食在庫に冷凍保存できるようになったおかげで、大きな肉を保存しておいて、それを必要に応じて切り分けて調理するという、一時期は廃れていた中世の自家生産的な厨房風景が復活したわけです。ところが、その一方で、冷凍技術を利用して冷凍食品というものがつくられるようになります。すると、自分で調理しないで、調理済みの冷凍食品を解凍すれば食べられるという、そういう食品が日常的に消費されるようになったわけです。つまり、一方は、Do it yourselfで他方はEverything ready madeと正反対の方向に分かれていったのです。こういう両面性、両方向への作用というものが生まれてきたわけです。

それはいまでも同じで、これだけ高度な情報処理ができるようになったんだから、これまで独りではできなかったことをやろうという方向と、みんなコンピュータやロボットにやってもらって遊んでいたいという方向と、二つの方向に分かれてしまうのです。大きく言えば、新しい仕事ができるととらえるか、仕事がなくなるととらえるか、いまの状況をどちらの方向でとらえるかで、まったく反対の結果になってしまいます。

もし後者の方向が主流になれば大失業時代が到来するんじゃないでしょうか。仕事はコンピュータやロボットにやってもらって、それ以上のことはできないし、しようとしないから、所得がほとんどないという人たちが大量に発生する。その場合には、そのままなら、貧困が増えるなんてレヴェルじゃなくて、経済が破綻するでしょう。

これからの失業問題の弊害は「仕事とは他人から課せられるもの、できればやりたくないもの」と考え、「PCをみずからの創造性のために活用できない」という人たちをメインターゲットにして猛威をふるいますが、その影響が深刻化するのは、そうしたグループが同時に「お金で既成品のサーヴィスを享受する以外には何もできない」人たちになっているからです。これは指標にあらわれる単なる貧困を超えたもっと致命的な問題です。貧困問題ではなくて、生き方問題なのです。

楽園のパラドックス

その問題に関連して、一つのパラドックスが提出されています。「楽園のパラドックス」といって、これを提出したのは、『成長の限界』で有名になったローマ・クラブというシンクタンクで、「雇用のディレンマと労働の未来」というレポートです。[*]レポートとして出されたのは一九九七年です。

* Orio Giarini und Patrick M. Liedtke, *Wie wir arbeiten werden, Bericht an den Club of Rome*, Hofmann und Campe, 1998.
菊野一雄の批評を参照。http://www.rikkyo.ne.jp/~z3000268/journalsd/no1/no1_intro1.pdf

どういうパラドックスかというと、テクノロジーが発達して生産性が向上すると、労働があまり必要なくなってきて、人間は労苦から解放される。けれど、労働が必要なくなってくれば賃金がもらえなくなるから、物資は豊かなのにそれを手に入れることができないという逆説的な状態に陥る。これをもって、ローマ・クラブ報告書は「こうしてみると、楽園への道は地獄がよく見える始点でもある」といっているので、これは「楽園のパラドックス」と呼ばれるようになったわけです。

「働くとは賃労働のこと」、「人生の享受とは賃金を消費することによるサーヴィスの購入」、「テクノロジーの進歩によるリストラ」という要素だけを並べると、たしかにそんな感じの地獄が説得力をもってくるのでしょう。問題はこうした地獄にはまりこんでしまうと、仮にテクノロジーが開放されてそれを通じて持たざる者でも生産や創造や自己固有の豊かさの享受が可能になってきても、それには何の興味も示さず、連日無為に過ごしながらただ「金がない…金が欲しい…金が得られない…」という呻きをくりかえすのみになってしまうことでしょう。

とても重要なことなので何度もくりかえしますが、これはいわゆる貧困の問題ではなく心の問題なのです。カール・ポランニーの本だったと思うのですが、以前経済人類学者の本を読んでいるときに紹介されていた話で、ある貧民集団が社会から放逐されて川原の近くに住んでいるのですが、その川には魚がいるにもかかわらず彼らはそれを獲ろうともしないでどんどん餓死していくというのです。彼らはもはや魚を獲ることすら考えられなくなっているからです。この話は非常に衝撃的でした。本当に恐ろしいのはインセンティヴが内在的に一切生まれてこない状態の方なのです。

完全雇用か、逆奴隷制か、自己雇用か

それから、それよりずいぶん前に提起された「労働の未来」像のことを思い出します。それは、ジェイムズ・ロバートソンという社会学者が一九八五年に出した『未来の仕事』(*Future Work*)という本のなかに出てくる予測なのですが、ロバートソンは今後の予測として考えられる望ましいありかたとして三つの可能性があるといっていました。

どういう可能性かというと、第一は、完全雇用です。これは賃労働・有給雇用が前提になってい

て、ワークシェアリングやなんかがおこなわれて、みんながそういう仕事をもって、それで得られる収入で生活している状態です。

第二が、逆奴隷制で、ビッグビジネスがあらゆるものをつくりだすのだけれど、それは一部の専門エリートにしかできない仕事なので、彼らだけが働いて、あとの大多数は遊んで暮らしているという状態です。エリートが下層人民を奴隷にしているんじゃなくて、逆に、専門エリートだけが奴隷のように働かなくてはならないから逆奴隷制というわけです。

そして、第三が、自己雇用、セルフ・エンプロイメント self-employment です。ここでは、仕事は雇用労働ではなくなって、働く者が、自分で、あるいは自分たちで組織してコントロールしていくものになっていきます。雇用がまったくなくならなくてもいいけれど、仕事の主要な形態は、自分で自分を雇う「自分自身の仕事」own work になっていくというわけです。

第一の可能性である完全雇用はいまや不可能であるし、また不必要だと思います。可能性があるのは、第二の逆奴隷制か、第三の自己雇用か、どっちかだと思うのです。そして、それが、おそらくは、ローマ・クラブがいう楽園のパラドックスをのりこえる二つの可能な方向だと思うわけです。

経済学からいうとどうなのかはよくわからないのですが、完全雇用というのはどんなに実現可能性を失っても理念としての強さをもっているような気がします。つまり万人が常に誰かのために働いている状態を理想とする世界観として、近代のヒューマニズムにもっとも合致しているのではないかという気がするのです。特に西洋では、そうなのかもしれないと思います。すでに新約聖書に「働かざるもの食うべからず」と書かれている（テサロニケの信徒への手紙Ⅱ三 - 一〇）わけですし、そもそも楽園追放のとき、神はアダムに「お前は顔に汗を流してパンを得る　土に返るときまで」と言い渡しているわけです（創世記三－一九）。キリスト教社会では、この人間の原罪は全員が分かち合っていると考えられているわけです。

コミュニズムもそうで、レーニンはロシア革命直後に「『働かざるものは食うべからず』――これが社会主義の実践的戒律である。これこそ実践的に組織すべき点である」とのべています。*

* レーニン「競争をどう組織するか？」、レーニン全集第二六巻、p.423

「万人が常に誰かのために働いている状態」とだけ言うと非の打ちどころがない感じがしますけれど、問題はこの「誰か」が自分自身でないことはもちろん、身近にいる具体的な誰かでもない常に抽象的な他者としてあることです。この点を見なければなりません。だから、労働や仕事がもたらすものが具体的な人たちに具体的なかたちで現れるのではなくて、常に賃金水準とか有効需要とかが「働く」ことに最も関係のある要素としてあがってくるわけです。そのことに対する素朴な疑問をもつべきだと思います。さっき紹介した「隣の川で魚を獲らないで餓死していく貧民」に通じる内在的なインセンティヴの欠如はこうした世界観と無関係ではないと思います。

ロバートソンのいう三つの可能性を政治体制として見ると、第一の完全雇用が大衆民主主義の参加型モデル、第二の逆奴隷制が大衆民主主義のエリート支配型モデル、第三の自己雇用が大衆民主主義を超えた自己統治の協同体モデルということになるのではないでしょうか。そこで、いったいどの途が楽園のパラドックスを超えていける途なのか、ということになります。「完全雇用」―「大衆民主主義の参加型モデル」か、「逆奴隷制」―「大衆民主主義のエリート支配型モデル」か、「自己雇用」―「自己統治の協同体モデル」か、どれなのか。それは、いろいろな外的条件というよりは内的条件、つまり働く者の精神のありかた、ワーキングスピリットがどういうものになるのかというところにかかっているのではないか、と思うわけです。

モティベーションこそが決定的要因になる

ツイッターでクリエイター系の人たちの呟きを見ていますと、実際、クリエイティヴな人間は、新しいテクノロジーが自分の仕事を奪うものだなんて、まったく考えていないようです。みんな新しい技術に興味津々で、そこにみずからの想像力を投入すればどんなことができるかを考えて目をキラキラさせている感じです。他人の道具として働いているのではなく、何か自分がやりたいものをもっている人は、基本的にみんなそうなのではないかと思います。イメージやアイディアをその場で独力で具現化させようとしたとき、現代のテクノロジーはきわめて優秀な相棒になります。さらに、プログラミングができるようになれば、PCを自己固有の問題意識に即して最適化できるので、最近のクリエイターはどんどん自分のやりかたでエンジニアの領域に入っていっています。

ですから、問題になるのは、つくりたいもの、やりたいことがあるかどうかということ、モティベーションです。個々人がどういうモティベーションをもって仕事に取り組んでいるのか、ということこそが問題になるのです。ああ、自分はこういうものをつくりたい、こういうことがやりたい、それを一所懸命にやろうという動機があって、そこに、ＩＴやＡＩについての適切なオリエンテーションがありさえすれば、そっちにいけるわけですから。

逆の方から見れば、これからの時代においては、生産においてもサーヴィスにおいても、個人個人にしっかりしたモティベーションがなければ、仕事に取り組めないような状況にどんどんなっていっているのです。知識があっても、技能があっても、そういうものだけでは、ＩＴ・ＡＩ時代には不充分、モティベーションがなければ仕事にならない。そういう時代になっていくと思います。

ただそこで注意しなくてはならないのは、こうしたインセンティヴがしばしばまったく誤解されているということです。最先端の技術の開発で世界的に注目される企業の若きリーダーがメディアで紹介されていたとします。この記事を見たＡさんは「自分も最先端の研究や世界屈指の才能に囲まれながら切磋琢磨し、こういうプロジェクトを回していけるような人間になりたい」と感じるのに対して、Ｂさんは「自分もああいうカッコイイ感じにふるまってみんなからチヤホヤされたい」と感じるとします。Ａさんが望みをかなえるためには長い時間と努力が必要ですが、それが結実していく過程でＡさんは内面的な成長を経験します。それに対してＢさんの夢はどこかから巨額のお金が手に入ればすぐにでも実現できるものですが、その場合Ｂさん本人はまったく成長しません。実際には何に憧れているか、それはお金さえあればすぐに手に入るものか否か、仕事の中身自体に魅力を感じているのか否か、修練のための長い時間を必要とするか否か、修練そのものに充実した喜びを感じるか否か——といったことを考えていくと、Ｂさんの態度が実はすごく受け身で、さらに付け加えるならば甘いものだということがわかります。

ところが「やりたいことをやる」とか「なりたいものになる」といった話が実際にはBさん的な意識で語られていることが結構あるように思われます。「やりたいことをやっている人ってとてもキラキラしているので、私も将来的には何かやりたいことを仕事にしたいです」みたいな発言をよく聞きますが、そういう発言をする人はむしろやりたいことがもてない人のような気がします。やりたいことがある人は多かれ少なかれすでに研究や対外的な活動を開始しているものです。だってテクノロジーが普及した現代においては多くの場合それが可能なのですから。そして拙いながらもやっているうちに自分の活動の周辺にコネクションが形成されていき、いつの間にかそれが仕事のようになっている——というのが唯一のとは言いませんが、「やりたいことをやる」の典型的なタイプだと思います。

「勉強は嫌いですし、絵も描けませんし、プログラミングもできません。でもゲームは昔からやってたし楽しいんで、ゲーム制作会社に就職したいと思いました」というレヴェルの志望動機が多くて困ると、ゲーム業界の人がツイッターで嘆いていましたが、巷で語られる「やりたいこと」の多くがこのレヴェルの認識であることに注意すべきです。問題なのは知識や技能のレヴェルがまだ低いことではありません。「やりたい」の内実が受け身で悪い意味で子供っぽいことのほうなんです。

「やる気」がすっかりなくなった日本の労働者

話を元に戻しますと、「働く」というのは「賃金を得るため外部から課されたやりたくもないことをやること」だという認識の働き手はブルーカラー、ホワイトカラーを問わずテクノロジーによるリストラの影響をもろに受けるでしょうし、賃金や強制といった外在的インセンティヴに対する依存度が高く自発性に乏しいことからリストラ後の境遇が今後ますます逼迫していくことが予想されます。経営者の側では、自発的には働かないし、経験や技能においても信頼に足らないような人材にはウェアラブル端末を装備させてコントロールしようとするでしょう。そういう「端末奴隷」みたいな存在形態はすでに現実化しています。そんな話をすると「自発的に働くなんてそんな奇特な人材は一万人に一人いるかいないかだよ」みたいな感じで一笑に付して変な安心感のようなものに浸る人がいますが、「そのごく少数の人材さえいれば後はいらない」というリアリティがどんどん増してきて、それ以外の従来型の組織は崩壊するかブラック化するしかないというのが社会がこれから突入していこうとしている状況だと思われるのです。ＩＴやＡＩの発展によりこの傾向は労働のコントロールのみならず人生のあらゆるシーンにまで浸透していくでしょう。

「端末奴隷」という表現はきついですけれど、新しいテクノロジーを通じておこなわれる現代的支配は、そうした奴隷化と同じようなことを、もっともっとソフトなかたちで実現し、自由を侵食していくものだと思います。だから自由を求めるなら、ハードなかたちのファシズムだとか独裁だとかの危険性よりも、そういうソフトな奴隷化の危険性に目を向けていく必要があると思います。そういう危険性に対抗していくには、知識や技能ではなくて、それ以前に、自分がやりたいこと、つくりたいものをもつということが大事です。それをやるためになんとか工夫していこうということになれば、いま、インターネットを通じて、そのための手だてはいくらでも見つけられます。そうすれば、ＩＴやＡＩは味方に転じるわけです。

日本の労働力の質は高いと見なされてきて、実際かつてはそうだったのですけれど、それは近代産業が中心だったころの話で、いまはすっかり様変わりしてしまっています。労働力の質では、日本はむしろすっかり立ち遅れてしまっているのです。

経営学者の太田肇さんが書いた『「見せかけの勤勉」の正体』（ＰＨＰ研究所、二〇一〇年）という本によると、日本の労働生産性はＯＥＣＤ三〇ヵ国中で二〇位、主要七ヵ国中では最下位なのです。これは二〇〇〇年以降出てきた傾向で、著者は、日本の企業における「成果主義」がこういう結果の原因だといっています。一理ある指摘です。原因については、ここでは論じませんが、ともかく現状がひどいものになっていることは事実です。*

＊　同じＯＥＣＤの調べで、二〇一九年の日本の労働生産性を見ると、時間当たり労働生産性が四七・九ドル（四八六六円）で加盟三七カ国中二一位で主要七カ国中最下位、就業者一人当たり労働生産性は八万一一八三ドル（八二四万円）加盟三七カ国中二六位と、相変わらずの低調さです。日本生産性本部「労働生産性の国際比較」を参照。https://www.jpc-net.jp/research/list/comparison.html

また、日本の労働者の内で、仕事に対して非常に高い熱意を感じているのは九％で、調査対象の一四ヵ国中最低です。仕事に対して「非常に意欲的である」は二％で、これも最低。職場生活に「満足」「やや満足」も非常に低く、今の職場で仕事を「続けたい」が一一ヵ国中最低という調査結果が出ているのです。要するに、仕事に対するモティベーションが非常に低いのです。

いまの日本人が働くうえでのモティベーションが低いということは、日本で仕事をしている外国の経営コンサルタントなども指摘しているところです。経営コンサルタントのロッシェル・カップという人は、『日本企業の社員は、なぜこんなにもモティベーションが低いのか?』(クロスメディア・パブリッシング、二〇一五年)という本を出しています。

カップさんは、この本のなかで、エンゲージメントというのは、企業のありかたに対して関与していく度合、自分の仕事に対する感情的なつながりの強さ・弱さといった「仕事に対するポジティヴで充実した精神状態」を測るものだというのですが、アメリカの経営学では、いかにもアメリカらしく、このエンゲージメントの測定尺度をつくっているのです。精神状態を測る尺度というのがそもそも問題なんですけれど、ともかくその尺度によって、国際比較をやっています。

その比較、「二〇一四年グローバル労働力調査」によると、日本でエンゲージメントレヴェルが高い社員は二一%(持続可能なエンゲージメントの三要素すべてが高得点という社員がそれに当たります)、ある程度高い社員は一一%(これは従来のエンゲージメントは高いがイネーブルメントとエネルギーが低いという社員です)、低い社員は二三%(イネーブルメントとエネルギーは高いが従来のエンゲージメントが低いという社員です)、非常に低い社員は四五%(持続可能なエンゲージメントの三要素すべてが低得点)であったというのです。これは、調査対象国のなかで最低の数値です。衝撃的な結果です。*

＊　その後二〇一七年に米国のギャラップ社がおこなった国際調査では、日本企業におけるエンゲージメントは、調査した一三九国中一三二位という惨憺たる結果で、上記の調査と基準が違いますが、「熱意あふれる社員」の割合が六%、「やる気のない社員」は七〇%、「周囲に不満をまき散らしている無気力な社員」の割合は二四%となっています。State of the Global Workplace - Gallup Report（2017）
https://www.gallup.com/workplace/238079/state-global-workplace-2017.aspx

これ、ものすごいヤバいことになってるわけです。エンゲージメントが低い・非常に低いというのは、自分がやっている仕事に対して積極的に関与していく姿勢、仕事と自分を感情において結びつけていく態度が弱いということです。仕事に対してモティベーションをもっていないということです。そういう人たちは、ＩＴやＡＩによって仕事を奪われざるをえなくなる人たちです。そういう人たちが二三＋四五で六八%もいるということです。これはＧＤＰとか経済成長率とか、そんなことよりもはるかに深刻な問題です。

日本人の仕事へのエンゲージメントはなぜ低くなったか

その指標は最近できたものなので、正確な比較はできないのですが、一九六〇―七〇年代の日本人に当てはめてみれば、こんな数値にはならないと思うのです。エンゲージメントはもっともっと高かったと思います。

アメリカで労務管理の方法としてつくられたＱＣ（Quality Control）サークルとかＺＤ（Zero

Defect）運動とかいうものが、労務管理メソッドとしての本質的な限界をもちながらも、日本では、仕事のありかたを積極的に改善していこうという従業員の運動になっていって、自分たちで仕事や職場をつくりかえていくものにしていった面があったわけです。そこには見せかけのやる気がつくられていった面があったことは否めないところがあって、手放しで礼賛することはできないにしても、そういう面が創りだされていったことは確かで、そこには当時の日本の労働者のエンゲージメントの高さが表れていたといえると思います。だからこそ、日本のカイゼン運動は、労務管理としてではなく、エンゲージメント向上の面において世界の注目を浴びたのです。

それは、その頃の仕事がそういう仕事だったからなのです。日本の労働者のエンゲージメントの質というのは、機械による近代的工場生産の集団的労働には非常にフィットしていたのだと思われます。明治以来、そういう教育・養成を非常に熱心におこなってきた結果です。でも、いまの仕事は、それとはすっかり変わったものになっています。だから、その当時のエンゲージメントの質は、近代的工場生産の集団的労働にはフィットしていたけれど、いまの脱近代の分散した情報編集にもとづく生産にはうまくフィットしないものだったということです。

ここのところを、個人のレヴェルでも集団のレヴェルでも変えていかないと、日本社会の沈滞は避けられないのではないでしょうか。かつてのエンゲージメントの高さが生かされずに低迷していくうちに、ＩＴやＡＩで淘汰されていってしまう可能性があります。

この点では、労働現場のみならず現在の日本社会全体において、近代的エンゲージメントがうまく働かない一方で脱近代的エンゲージメントができていかないというなかで、「現場」というものがすっかり崩れてしまったという問題があります。そこのところが最大の問題なのではないかと思います。これは、生産性の問題を超えて、労働者の働き方、ひいては日本人の生き方の問題として重大な問題になっていると思うのです。

経営学者でローランド・ベルガー会長の遠藤功さんは、日本企業は現場が強いといわれてきたが、もはやそれは神話であって、現在の日本企業はすっかり現場が弱くなってしまった、といっています。なぜ弱くなったかというと、やっぱりリストラ、非正規、外注といったことが横行して、失われた二〇数年の間に現場が劣化したんだというのです。現場の能力を足元から高めようとしないマネジメントの責任が大きい、それを打開するためには「全員が当事者に」「責任と権限の移譲が先」というのが彼の主張です。きわめてまっとうな意見だと思います。

確かに、マネジメントできない企業の問題、特にトップの問題かもしれません。しかし、僕らはそうもいってられないわけです。個々のワーカーが自分でそういう方向に踏み出していかなければ、みずからの未来がないわけですから。

「前の時代において成功の原因となった性格が次の時代において致命的なネックになることがある」という意味のことを技術史家の中岡哲郎さんが書いていましたが、近代化で成功した日本社会は、その成功がかえってネックになるようなターニングポイントにすでにさしかかっていると見るべきなのでしょう。

たとえ雇用されている場合でも、「会社の仕事」が常に同時に「自分の仕事」でもあるという意識がもてないと、もはやどんなテコ入れをしてもエンゲージメントが生み出されない状況になっているのだと思います。それが、前にのべたように、ＩＴ・ＡＩ時代の仕事のリアリティなのです。ところが、それはエンゲージメントを上げてもらうために組織が働きかけて外部注入するようなものではありません。むしろ外在的な動機づけがいっさい成功しなくなっているのが現状で、だからこそ日本の労働者のエンゲージメントがこんなにも低くなっているのです。そして、外在的な動機づけ以外に何もできないタイプの組織が一気に機能不全におちいったり、極端にブラック化していくというのが現状だと思います。

ちなみに「会社の仕事は自分の仕事なんだと思わないようなヤツはダメだ！」と強要するブラックな態度は、僕らと同じことを言っているように見えるのに、内実は正反対のものなのです。「自発性の強要」というものがそもそも矛盾でしかない以上、その実態は似非自発性の強要なんであって、逆らえないことに従うのを自発的な行為だと思い込むような精神を強要しようとしているだけなのです。

自主性の真贋は割と簡単に見極めることができます。外からの働きかけがなくても自分独りで研究や活動などの模索ができるか否かです。これからの時代にエンゲージメントが期待できるケースは、働くことに内在的なインセンティヴをもち、雇用されなくても独りででも働こうとするような人間が、働くためのより良い環境として組織に入るという場合です。

クリエイターの話ですが、ツイッターで観察していると、学生時代からすでにフリーランスなどで活動しているような人は、たいした就活もしないまま、すんなりと優良な企業に採用され、就職後はプロの現場で鍛え上げられることに喜びを感じながら充実した日々を送っている例が多いのです。これに対して、何の志向性もなく外部から促されないかぎり動こうとしないようなタイプの学生は、それとは正反対の道を歩んでいる場合が多いようです。非常に皮肉で残酷な現実ですが、志向性がない人間ほど就職にこだわって必死に就活するのに実りが薄く、逼迫した状況の中で何とか就職先を確保したと思ったらそこがブラックで、就職後は「苦しい」と「辞めたい」しか呟かなくなり、ついには音信不通になるというようなケースが見られるようです。

僕らは、「従来型の社会モデルを臨界点を超えてどこまでも保存しようとすると不可避的にブラック企業的な関係性が拡大していき、その悪弊をどんなに批判してても絶対にそこから抜け出せなくなる」という現代社会の現象を「ブラック・リアリティ」と呼んでいます。それは、ブラック企業の非人道性をあげつらって非難するよりも、ブラック企業がなぜ生まれ増えていっているのか、その根拠であるブラック化がもつ否定しがたい必然性と説得力、そのリアリティから現代社会が置かれている状況を見つめ直す必要があると思っているからです。その思いが、「ブラック企業」批判ではなくて、「ブラック・リアリティ」状況の批判が必要なのだという思いにつながっています。

「ブラック・リアリティ」については、あらためて取り上げることとして、ここで日本における労働に対するマネジメントの歴史的な推移を簡単に見ておきます。日本の場合、一九六〇年代半ばまでは、企業経営者の現場の労働に対するマネジメントは弱くて、大工場でも、いわゆる「内部請負制」といって、現場は労働者の親方層が仕切っていて、経営側は生産高と納期だけを管理している状態だったのです。その名残が七〇年代まで続いていたので、職場の小集団の自律性、自発性が高くて、それが日本の労働者のエンゲージメントの高さとして表れていたのです。

ところが、やがてトヨタのカンバン方式を皮切りに、経営が労働現場末端までを掌握して管理する体制ができていきました。その結果、中間のマネジメントが非常に強められたのです。事業所の課長とか工場の職長レヴェルの管理職が、経営の管理機構の末端として現場の小集団のリーダーとして管理機能を発揮するようになりました。その管理に適応した一般従業員は、結果的に経営の指令に従って、「見せかけのやる気」を示すようになっていった、というふうに見ることができるのではないかと思います。

そこに、一九八〇年代後半から九〇年代にかけて、日本的経営の転換と関連して、アメリカ発のリエンジニアリング reengineering という経営思想が入ってきました。そして、ツリー状の階層組織じゃダメだ、もっとフラットな水平構造の組織で、個々のイニシアティヴが発揮されるようにしなくちゃならないといって、ポートフォリオ型組織とか分社化とか、いろんな組織改革がおこなわれました。けれど、これは結果的には失敗に終わったわけです。

これについては、八〇年代後半から資本の自由化が進むなかで、いくら言葉で「自由化」だといっても、実際に談合、系列をはじめとした日本的慣行を撤廃しなければ、外国資本が入り込むことができないわけですから、その点では日本的経営を変えろという強い外圧がこの当時ありました。その点は外的な要因として見逃せません。けれど、その一方で、企業風土を変えないと、多品目少量生産、生産の情報化といった時代の変化に対応できないという内的な要因があったことも確かだと思います。この両面を見ないといけないのではないかと思います。

マネジメントの側から見て、生産組織のありかたを変えなければならなかったのは確かです。けれど、それを、日本的組織の特質を無視したかたちでやる必要はなかったのではないかと思います。特に、闇雲な成果主義、リストラ、非正規雇用の拡大、外注による外部依存といったやりかたによって、現場を荒廃させてしまったのは、まったくマネジメントの責任です。

成長社会を内面化できなくなった時代

大雑把な印象として、日本の労働者のこの致命的な活力低下は、成長を続けることを前提に組織された近代的な社会モデルの実質的破綻と関係があると思います。

成長を続ける社会におけるエンゲージメントやバイタリティの普遍的な供給源は、成長する社会のイメージを内在化した市民たちです。自分が頑張ることと社会が成長すること、社会が成長することと自分の生活環境がさらに良くなっていくことのフィードバックを実感しながら、成長する社会の中でそれに寄与していこうとすることが基本的なインセンティヴになるという関係、それが社会全体を動かしていくというのが成長社会を支えてきたのです。逆に言うと、そういう関係にある状態のことを「社会」と呼んでいたのだと思います。

それは、「勤勉は美徳である」という倫理観、さらにはそれと密接に関連した「労働は神聖である」という倫理観によって裏打ちされていたのです。そして、だから、勤勉に働く労働者こそが社会を成長させ、よりよい未来を切り拓いているんだ、という労働讃美、さらには、だからこそ、労働者が政治・経済をになう社会にしなければならないという社会主義の主張にもつながっていっていたのだと思います。そういう意識は、当時そういう場にいた者としてふりかえってみれば、たとえば一九六〇年代には、いまからは想像もつかないほど広範にあったのです。当時の保守と革新、保革対立といわれていた二大勢力のどちらにも、違ったかたちではあったけれど、勤勉讃美・労働讃美がありました。そういうものが、労働組合を握っていた社会党（社民党の前身）が民主党（いまの立憲民主党や国民民主党）などのリベラル政党以上に大衆的基盤をもつことにつながっていたし、同時に、企業側の「生産力ナショナリズム」といわれたものが国民全体をつかむことにもつながっていたわけです。

そうした勤勉讃美・労働讃美がはっきりと衰退してきたのが一九八〇年代で、バブル崩壊後の九〇年代には、もうほとんどリアリティを失っていました。特に一九九五年以後は、グローバリゼーションの進展のなかで、日本の労働者が勤勉に働けば、その成果がなんらかのかたちで日本の国民経済全体を押し上げる方向に働くというメカニズムが産業構造としてもなくなっていって、もはや勤勉な労働と経済の成長が結びつかなくなっていたのです。さらにいうならば国民経済という枠自体が崩れつつあったのです。この一九九五年頃の構造変化は非常に重要だと思います。

そして、実はその頃から先進国にとって恒常的な経済成長というのがもはや望めなくなってきたのだと思います。ところが、そのときにはすでに、資本と国家にとっては、経済成長なしには企業運営・国家財政運営ができないという構造にもなっていたわけで、そこの問題が、今日の状況を根本的に規定するものとしてあると思うのです。

「働いた分だけ報われる」前提は「無限成長」社会

経済と生活がフィードバックしあいながら成長していくという理想は、現在でもなお「働いた分だけ報われる社会に！」というスローガンとして継承されていますが、このことを根本的に疑ってみなければなりません。

そもそもこうした理想が成り立つのはどういう状況においてなのでしょうか。たとえば自給自足度が極めて高い小さな離島の経済環境を想像してみてください。そこでは「働いた分だけ報われる」という関係は一定量を超えるとすぐに成り立たなくなってしまいます。島民が消費しきれないほどの生産物は無意味ですし、場合によっては単なる生態系の破壊にすぎないものになってしまうことだってあるでしょう。

この島において「働いた分だけ報われる」関係が低い臨界点を超えてどこまでも成り立つようになる条件は、生産物を島外に輸出して貨幣に換え、今度はその貨幣で島外から物資を購入するためのパイプとしての市場が確立することです。つまり島の社会を変えずにはおかないような決定的な契機を条件としない限りは成立しないわけです。そして、そこでさらに「働いた分」を報われようとするなら、無限成長を図っていくしかありません。

なぜわざわざこんな離島の譬え話などをするかというと、このことは多かれ少なかれどんな社会にだって潜在している問題であるにもかかわらず、離島の事例においては簡単に気がつくことができるこの致命的な条件が、一般的議論においてはまったく自覚されずに、その結果としていつの間にか人間と社会を考えるうえでの所与の条件のようになってしまっているからです。

「離島のような極端な例と比較するな」「われわれが問題にしているのは最低限の待遇さえ得られ

ない現状だ」といった反論は、この問題とは何の関係もありません。ここで問題にしているのは、市場の確保とサイクルの維持管理という個々人や仲間集団の力によってはアプローチできない条件を人間や社会が存立する所与の条件としてしまっていることに何の疑問も感じていないでいいのか、ということなのです。自分たちが直接関与できない巨大な関係性に頼り、それに乗っかったまま生活することそのものが問題だということができます。しかし、それ以前に、自分が自分でありつづけるうえで決定的な影響をあたえずにはおかないこの外在的契機を、もはや、意識できないレヴェルにまで当然の所与の条件にしてしまっている精神構造が問題なのです。

こういう考え方を当然のこととしていると、自分が何者であり、何をすべきかを自覚的に考えたり、そのための方法を自己で模索したりするかわりに、「とにかく頑張れば幸せになれるはずなのに、それが成り立たないとすれば世の中がおかしいんだ」という思考をとるようになってしまうのです。確かに世の中がおかしいのです。しかし、そのおかしさを自分のおかしさ、自分たちのおかしさとして考え直してみないならば、この思考は、「自分たちが直接関与できない巨大な関係性」の奴隷になったまま、それに疑問を呈することのないまま良くなることを願うだけの心の持ち方、すなわち奴隷根性になっているのではないでしょうか。

便乗と依存のメンタリティとは

これと同じ精神が成長する社会を内在化する態度の中にも含まれていると考えられます。無限成長という神話がお膳立てしてくれる巨大なパイプに向かってドカドカ生産すればガバガバ儲かるからそれをインセンティヴにして頑張るという態度です。これを内在的なインセンティヴと呼ぶことはできないと思います。成長イメージの内在化は実際には外在的インセンティヴの一つであり、自分が関与しないものへの依存・便乗という性格がより強いものだと思われるからです。

しかし、実際には無限成長にもちゃんと限界となる臨界点があって、おそらくその臨界点はもうとっくに過ぎてしまっているはずです。規模がものすごく巨大なだけに、離島のケースのようにすぐに結果が反映されず、その間に英知を結集した時間稼ぎや粉飾がなされるので、なかなか限界と破綻は表出しません。いまや国家債務をどんどん膨張させることでしのぎながら、各国中央銀行のQE（量的緩和）と金利操作で破綻露呈の時間稼ぎしているだけの状態なのではないでしょうか。*

＊ これについてはヴォルフガング・シュトレーク〔鈴木直訳〕『時間かせぎの資本主義』（みすず書房、二〇一六年）に詳しく説かれています。

これではしかし、名目の経済成長が大きくなるだけで実質成長はなされていないのですから、少なくとも以前のようには「働いた分だけ報われる」関係は成立しません。その現実が実感の部分にまで到達してしまった今となっては、頑張ることで幸せになるというインセンティヴはもはやかつてのようには得られないことになってしまいました。

実質的には破綻しているけれども、数々の裏技を使えば時間稼ぎは可能ですし、しかもその間に新たな時間稼ぎの材料も供給されるでしょう。こうした延命がいつまで続くかはよくわかりませんが、もしも仮に理論的にこれが何百年も維持可能だということになっても、われわれはまったく楽観できません。粉飾と時間稼ぎでは供給を絶たれたインセンティヴそのものは回復できないからです。それが労働者のエンゲージメントの著しい低下に表れているのです。このままでは、われわれの心は荒廃していくばかりなのです。この精神的頽廃のほうがずっと恐ろしいのです。

成長社会の実感を内在化することでしかインセンティヴが形成できない——言い換えれば内在的にはインセンティヴが形成できない——そんな体質のまま、今や成長を実感すべくもない時代に突入しているのが現在の状況です。しかも便乗体質は依存体質と表裏一体なので、かつて成長イメージに便乗して普遍的なインセンティヴを供給してくれた一般大衆が、彼らにとって唯一の頼みだった外在的牽引力を失って、そのまま無気力で自発的には何もできない他者依存的な群に変わってしまおうとしているのです。日本企業のエンゲージメントの驚くほどの低さはその表れなのであって、そこに見られるように、外面は取り繕えても内面的な活力低下はあまりにも深刻なのです。常に何か大きなものへの便乗を促しながら回転してきた従来社会は、成長が実質破綻し便乗が依存に翻ったことで、いま内側からの危機に瀕しているのです。

新しい働き方、新しい生き方を創り出すこと

こうした事態をワーカーの側から見た場合、生産における情報化、さらにはＩＴ・ＡＩの生産点への浸透に対して、モティベーション、エンゲージメントのありかたを変えていかないと対応できないという状況を、ワーカーたち自身の問題として考えなければならないと思うのです。それは、

いまますます重要になっていると思います。

これは、労働生産性の問題としていっているのではないし、エリートワーカーの問題としていっているのでもありません。普通一般の人たちが、ＩＴ・ＡＩによって、これまでのような労働から解放されていくときに、どんな働き方、どんな生き方をしていったらいいのか、という問題として、みんなが考えなければならない問題なのではないかと思うのです。

以前読んだアメリカのマーケティング関連の本の中に、ある実業家の意見が紹介されていて、それがとても示唆的でした。彼は結論として「ＩＴはまだ大人になっていない」と言うのです。うろ覚えですが、咀嚼した理解では――〈現状ＩＴは都市部で最先端のライフスタイルを追求しているような、人間社会全体の営みからすれば局所的でしかも足が地に着いていない軽薄な感じの層においてしか浸透していない、いわば子供の状態だ。ＩＴが成熟し大人になるためには田舎で農業に従事しているような人がみずからの営みと直結したかたちで日常的にこれを駆使するようにならなければならない〉――というようなことを言っていました。

これは素朴ですがとても大切な見方だと思います。ファブラボ*なども関係してきますが、テクノロジーの未来は中央だとか都市だとか最先端みたいな従来社会の牽引役だった部分にあるのではなく、末端の個別で具体的な問題関心の方にあるのです。現場から乖離した上層が上澄みのような情報を客観的にコントロールするためのＩＴが末端に普及するのではなく、末端が自分たちのためにＩＴを活用しはじめることによってこそ全体の関係が変わっていくのです。

＊　ファブラボとは fabrication laboratory の略で、「ほぼあらゆるもの」"almost anything"をつくることを目標にして、３Ｄプリンタやカッティングマシンなど多様な工作機械を備えたワークショップのことです。

ブラック企業を見ていても、残念ながら、ビジネスにおいては、極めて愚劣で非人間的な状況も、ある条件下においてはそれが最適解になってしまっていることがあります。その愚劣で非人間的な状況を支配している人たちを免罪しようという気は毛頭ありませんが、それが最適解になってしまっているならば、問題は解を出した者の人格などではなく、愚劣な解答のみが最適解となってしまうような状況そのものにあるのであって、それを拒絶したり変化させたりすることのほうに解決を求めるべきだと思います。

隷従を強いる支配と奴隷的に支配されないと生きていけない人間の関係はニワトリと卵のようなものなので、仮にニワトリに全責任を押しつけて殺しても、卵からまたニワトリが生まれて来るでしょう。だから、この関係自体をなくさなければならず、そのためには奴隷的に支配されないと生きていけない人をなくすことです。

このブラック企業が最適解になってしまう状況というのは、情報テクノロジーと自由という問題を超えて、非常に広い広がりをもった重大な問題です。それは、いま言ったことで解決するというようなものではありませんが、「制度とは上から課されるもの」という意識から「制度とはみずから調整し構築するもの」という意識への転換が起こってくるためには、意識の持ち方を大きな問題にしなければならなくなってくるのです。その意識変革はどうすれば促されるのか。冷凍技術が中世的な自主的な家庭料理を復活させたように、情報技術を通してルネサンス的な自己表現を可能にすることによって、その意識変革を下から準備していくということも考えられます。

弱者を切り捨てる者も弱者を守る者も弱者を強くしようとしない

さて、すでに見たように、いま日本の労働者のエンゲージメントは極端に低くて、それがもはや致命的なレベルにまで達しようとしているわけです。このときに、ある面から見た場合には、こうしたエンゲージメントの低さは現在社会問題化しているいわゆるブラック企業的な労働環境のせいであると指摘することはできるでしょうし、実際それ自体はまちがってはいないと思います。ただ、こうした側面からの批判に終始してしまうかぎり、非難はできても解決はできないように思われます。ブラック企業が生まれてくる構造は、エンゲージメントが致命的に低下し、もはやいかなるテコ入れによっても回復不可能な状況において、にもかかわらず、なんとかうまく物事を回していこうとするところから出ているのであって、そこにメスを入れないかぎり、その悪しき説得力を否定できないようなものなのではないでしょうか。

日本の労働者のエンゲージメントがこれほどまでに低下したのは労働環境だけによるものではありません。日本社会全体が長い時間をかけて必然的に陥っていった末期症状としてとらえる必要があると思います。

こうしたとらえかたが偏頗なものでないことは、現在の日本人において無気力と自主性の無さはすでに子供時代から始まっていることから見ても明らかだと思います。先日、友人に教えられて平成二六年度版の『子ども・若者白書』（内閣府）を見てびっくりしました。ここでは主要七カ国の子供・若者の意識を比較調査しているのですが、日本の子供・若者は、諸外国と比べて、自己を肯定的に捉えている者の割合、うまくいくかわからないことに対し意欲的に取り組むという意識、社会問題への関与や自身の社会参加についての意識が、いずれももっとも低いのです。反対に、悲しい、ゆううつだと感じている者の割合がいちばん高いという結果が出ているのです。*

＊ 内閣府『子ども・若者白書』平成二六年度版のうち「今を生きる若者の意識～国際比較からみえてくるもの～」を参照。具体的な数字が出ています。http://www8.cao.go.jp/youth/whitepaper/h26gaiyou/pdf/tokushu_01.pdf

これについては、日本の労働者のエンゲージメントの低さに優るとも劣らない深刻な問題だと思いますし、原因は、エンゲージメントの低さの場合よりももっと深いところ、日本の近代化のありかたそのものに淵源していると思うのです。

ところが、こうした問題に関する議論は往々にして「ブラック企業は人間の尊厳を否定するようなやりかたで労働者を支配している」という主張と「エンゲージメントが皆無の人間を使って仕事を回すにはこれ以外の方法がない」という主張が延々と平行線をたどり、根本的な問題にアプローチしないままに非難と罵声ばかりが続く有様です。

ここでいう根本的な問題とは、言うまでもなく、現代社会において内在的インセンティヴと自主性をもち、それを新しい出発点にして個々人が当事者性をもって社会関係を構築していくためにはどうすればいいか?――という、僕らが一貫して言及してきた問題です。

ところがこうした基礎からの「問い直し」や「やり直し」については体制派も反体制派もともに消極的になる傾向があります。体制派的な新自由主義はみずから新しいエンゲージメントの土壌を作っていくコストとリスクを引き受けるよりは、むしろどんなに人員のエンゲージメントが下がっていっても回るような管理と支配のシステムを進化させる方に合理性を見出しますし、左翼・リベラル派も自分たちの存立の基盤である人権や市民社会の観念が「問い直される」可能性を本能的に察知して抵抗し、「エンゲージメントの向上」の問題を資本の側からの要求とみなして、むしろこうした要求から労働者を守るエージェントになろうとします。結局、どちらもそれぞれの理由から変わりたくないわけですが、この保守性は資本主義の進化に対応することを求められる体制派よりも自立しようとしない労働者のエージェントであろうとする反体制派の方にむしろ強固に現れています。

一九六〇年代から七〇年代初めのころまでの左翼社会運動では、大衆の要求実現を代行してはいけない、代行したり請け負ったりすること(そういうやりかたは「代行主義」「請負主義」といわれていました)で支持を得るようなことをしてはいけない、大衆の要求実現を大衆自身の運動にして勝ち取ることによってこそ社会運動は前進する、と主張され、実際にそういうふうに行動していたわけです。

こういう話をすると、現代の若者に違和感をもたれるようで、実際にそれを指摘されたことがあります。彼らが物心ついて以来見てきた左翼という存在は、弱者が実力をつけて自立でき、みずから闘っていくようにしていくという方向ではなく、むしろその逆で、決して自立できない弱者という聖域を確保しつつそのエージェントとなって勢力形成をしていくのを基本としているように見えたというのです。これは世代間による認識の食い違いであるだけでなく、実際にその時代を生きた左翼の当事者でさえもかつてのありかたを忘れていて、現在のありかたに同化している場合があるので、その意味で左翼の本質的な変質と言えるのではないかと思います。

いずれにしても、いま弱者を切り捨てようとしている者も、守ろうとしている者も、弱者を弱さから脱却させて強くしようとはしていないわけです。政府も政党も、知識人も学校も、だれも依存以外の途を示してくれはしない。

ということは、公式に存在することになっている社会――これを「公認社会」と呼んでいます――ではなくて、実在する社会、具体的な現場によって構成されている社会――これを「実在社会」と呼んでいます――は崩壊しているということです[*]。

＊ 実在社会と公認社会について、ピエール・ジョセフ・プルードンは、次のように二つの社会を区別しています（河野健二編『プルードン・セレクション』〔平凡社、二〇〇九年〕pp.129~130）。

社会には公認の社会〔société officiele〕と真実の社会〔société réel〕との二つがある。公認の社会はわれわれに見えるとおりの世界であり、ピタゴラス、ソクラテス、イエス、およびあらゆるユートピア派が、かわるがわるこの外観に反対して自己を解放してきたのである。真実の社会とは、生きた社会であり、絶対的で不変の法に従って発展する社会であり、われわれが社会とよんでいるあの束の間の腐敗したかさぶたをその生命によって支えているものなのである。

公認の社会は、ますます消滅しつつあり、そのむきだしの裂け目の中に真実の社会が見えてきつつある。この古い仮装の消滅がわれわれには進歩に見えるのだが根本的にはこれは破壊なのである。……

社会の諸法則が明らかになるのに応じて、ただ、われわれの精神のみが思想を変化させる。われわれの精神こそが、諸概念を修正したのちに、その産物であり、最終的には、真実の社会と合一し、とけあい、それにふさわしいものになってゆくはずの公認の社会を変形させるのである。

この「真実の社会」を「実在社会」、「公認の社会」を「公認社会」と訳し変えたのが「実在社会と公認社会」という概念です。

自彊に目覚めよ

だから、僕たちは、みずからでみずからを強めて、みずからの働き方、生き方を立てていくしかないのです。

そして、そういうふうに、おのずから立とうとしたときには、一九九〇年頃と比べても、比較にならないくらい、自分が独りで利用できるものがたくさんあるわけです。八〇年代の頃までは、何かを探求したり、何かについて修練しようとしたりするには、しかるべき学校や機関に所属して、しかるべき課程を履修しなければなりませんでした。何か勉強したり研究したりしようと思っても、独りでは手立てがない。情報がない。ところが、いまは、ＰＣさえあれば、みんなわかってしまう。いくらでも情報が得られるし、道具になるアプリも無料で使える。大学専門課程を超えるような内容のライン上の講座もある。モティベーションさえあれば、大学なんか行かなくたって、充分なんです。これは「楽園」じゃないですか。

「自彊不息」という易経のことばがありますが、「みずからつとめてやまず」、そういう態度こそが「楽園のパラドックス」をのりこえていくものなのではないか、と思うのです。自彊なんていうと、古くさいことばだけど、お説教でいってるのではありません。せっかく整ってきた可能性を自分のために活かしてほしい。「楽園」の可能性というのは、テクノロジーの発展によって自動的にもたらされるものではない。現在の情報テクノロジーについていうなら、それをひとりひとりが自分のために活かそうとすること。……なんだか、実につまらない、あたりまえのことをいっているように聞こえるかもしれませんけれど、「楽園のパラドックス」をのりこえる鍵は、結局のところ、そこにあるのではないかと思っているのです。

働かない若者には二種類いるのではないかと思います。

一つは潜在的には働く志向があるのだけど、従来の「働くこと」イコール「生計を立てるための賃労働」という観念に適合することができない。かといってきちんと何かを打ち出せるほど新しい観念も形成もされていない。そのゆえに、自他ともに「働く意欲がない」という評価にならざるを得ないようなタイプ。

もう一つは従来型の「働くこと」イコール「生計を立てるための賃労働」の観念が、おそらくは情報化などの時代の変化に対応して、致命的に崩壊してしまって、インセンティヴが再生産されてこない状況の中で、潜在的にも働くことの新しい形の萌芽がまったく育たないようなタイプです。

前者の将来に関しては自発的にテクノロジーを駆使する主体という問題が重要で、このことはすでにのべました。問題は後者のタイプで、これは相当深刻で根が深く広がりも大きな問題のように思われます。それだけに、先ほども言ったように新自由主義者はこれを放置したままでも回るシステムを進化させ、左翼・リベラル派は弱者擁護の観点から自力脱出にふれないようにしていくことで、いずれにしても崩壊の規模と深さはどんどん大きくなっていくことが予想されます。

一応危機感に促されて色々な施策がとられると思いますが、多分多くはうまくいかないでしょう。問題の本質がかなり基礎的な部分にあるのに、公的機関ではそのレヴェルへのアプローチがさまざまな理由から不可能だからです。見せかけの成果を追求することになるか、単なる「対策をとっています」感の演出にしかならないのではないでしょうか。大きなものに便乗するか依存するかしかできないスタンスではうまくいかなくなっているのが現状なんですから、公的機関による救済が不可能という現実はある意味当然のことで、別に新しく加わった否定的要因ではありません。

「公的機関でも解決できない問題がどうして私たちに解決できるの？」という人がいるかもしれませんが、それは根本的に間違っています。われわれが、困っている家族や友人に対して向ける特別な厚意は、「公平性」や「プライバシーへの配慮」などを考えれば、公的機関には到底できないことですし、仮に客観的に制度化しようとすれば馬鹿みたいな予算と人員が必要になります。

また問題の核心が人間として基礎的な部分に関わる場合は、本人や身近な人間が当事者意識をもって対応するという以外に相応しいアプローチの方法はないだろうと思います。その上で必要な具体的な支援をお願いするということはあるとは思いますが、第一声から「国民に負担を転嫁しないで国が責任をもって対応しろ」というリアクションをとる人たちを見ると何とも形容しがたい気持ちになります。そんなことで解決される問題ではまったくないんです。

「大きくて立派な船がいちばん危ない」というのがいまの時代の本質なのに、昔からの依存体質を変えることができないで、没落していって寄る辺なく放逐されるのではないかという不安感から多くの人たちが大きな船に殺到し、ただでさえ危ない船をさらに危ない状態にしているのではないでしょうか。

目の前に広がる川はかえって小回りの利く小舟の方が渡りやすいのかもしれませんし、座礁しても泳いで助かるかもしれません。でも大きな船に乗ったら、船に自分の命を丸投げしなくてはなりません。巨大な船の中にすし詰めになっているので、沈没してもおそらく甲板にたどり着くことさえできないでしょう。「自己責任で行動できないこと」と「自己責任で行動すること」のどちらが怖いと思うか――この分岐はこれからとても重要になってきます。

自己責任で行動できないほうが遙かに怖いことなのです。ところが、みんな、「自己責任を押しつけようとしている」「行政が責任を果たせ」といって、むしろそっちの方に行こう、行こうとしているから、僕らは、「やめろ、やめろ、そっちに行っちゃダメだ」と叫んでいるわけです。

すごくやりたいことがあるのだけど、それは企業とかのなかではできないことがわかっているから、就職しない、あるいは企業をやめちゃって、正規の仕事はしないで、別のことで努力している若者、そういう若者はそれでいいと思うのです。それだってりっぱな自彊のかたちです*。ただ、企業は、そういう若者たちを生産活動のなかに積極的に取り込むべきだと思うのです。それによって、労働のありかた、企業の文化、経済のありかたが変わってくると思うからです。

＊　その後、国家公務員や大企業社員に就職したのに、そこから早々に退職してしまう若者がどんどん増えています。まず、前にも見たように、若手官僚の退職が急増しています。

「［国家官僚の］退職する若手も一八年度以降、急増している。一九年度の二〇代総合職の自己都合退職者は一〇四人で、一三年度（二五人）の四倍以上にのぼる。日本全体でみれば二〇代の離職率はここ一〇年間ほぼ横ばいで、若手官僚の退職の増加は際立っている」（社説「若手官僚離れ　ゆがんだ政官への警鐘」朝日新聞二〇二一年四月五日）https://www.asahi.com/articles/DA3S14859645.html

一方で、新社会人が入社直後に転職サービス「doda」に登録した件数は、一〇年前と比較して約二六倍に増加しているというデータもあります。特に大企業、上場企業ほど若者の転職に頭を痛めるようになってきているようです。（前川孝雄「若者がいよいよ『大企業』『公務員』を見限りはじめている…その『本当の理由』」、『現代ビジネス』二〇二一年六月一二日）https://gendai.ismedia.jp/articles/-/84065

いずれにしても、僕らは、自彊によってしか、この窮地を脱することはできないのです。そして、自彊に目覚めるなら、僕らは、自分自身がいま立っているそこに、つかむべき自由が待っていることを知るのです。

いまそこにある自由をつかもう。

第四章

人格と自由、固有性と自由

自由な仕事への具体的な途

資本と自由、労働と自由をめぐってのべてきましたが、いま資本と労働にとって求められているのは、昔の日本的経営をそのまま復活させることでもないし、一九九〇年代に導入して失敗したアメリカ流の経営を徹底させることでもないと思います。生産の情報化、脱産業社会化に適応しながら、同時に、日本的組織の特質を活かした企業組織のありかた、仕事の編成のしかたができないものか。そう考えていろいろと見ていたとき、いくつかの中小企業のやりかたに関心を惹かれたのです。そして、彼らは、彼らのいる場所において「いまそこにある自由」をつかんでいるのではないか、と思いました。

いろいろあるのですが、特に関心をもったのは、土木建設企業の平成建設、酒造会社の平和酒造、小売量販店のオオゼキの三つです。これらの企業のケースを見ていくと、いまそれぞれの個人が、どうすればみずからのモティベーションをもって、仕事にエンゲージしていけるか、いろいろなヒントが得られるのではないかと思います。これらの企業について、それぞれのケースについて、これからの日本社会での働き方、生き方をめぐって学べるところ、ポイントになるところを検討していこうと思います。*

* これらの企業の事例については、『単独者通信』上の対談『社会の皮膚、社会の内臓』の「楽園のパラドックスは超えられるか PART4」でのべられていますので、参照してください。http://neuemittelalter.blog.fc2.com/blog-entry-65.html

また、以下の文献も参照してください。
平成建設については、創業者・社長が書いた秋元久雄『「匠・千人」への挑戦』(河出書房新社、二〇一二年)。
平和酒造については、現社長の山本典正の『ものづくりの理想郷――日本酒業界で今起こっていること』(dZERO、二〇一四年)。

平成建設の特徴は「内製化」と「多能工」です。建設業界は、どんどん機械化と分業が進んで、仕事が機能ごとに分化して、外注化が普通になっていたのですが、平成建設は、創業の平成元年から一貫して、外注に頼らずに、自社で建設のすべてをおこなうこと――これが「内製化」です――、ひとりひとりの社員が単一機能に専念するのではなく、さまざまな仕事を多機能にこなせるようになること――これが「多能工」です――を基本方針にしてやってきたのです。このような方針にもとづく平成建設による建設は、それぞれの個別の過程がバラバラに分解されるのではなく、それぞれのパートがつねに全体像を自分のものにしながら進められるという点で、個別知ではなく全体知による仕事だといえると思います。

多能工化というのは「人間の内製化」であると平成建設ではいっていますが、ひとりひとりがマルチな大工になるということです。昔の大工の姿にもどるということです。それぞれの仕事は、その仕事に熟練した先輩が教えます。「平成建設は授業料も教材費もいらない学校です」と謳っているわけです。確かにその通りかもしれません。

そうやって多能工になっていくと、だれもが、建設のひとつひとつの過程を、全体像をにらんで想定しながら、いわば全体を自分で造っているかのようにイメージしながら仕事を進められるわけで、そうなれば、仕事の場において個々のワーカーの全体知が複合して働いていきます。

こんなふうにやっているので、東大や京大はじめ大学院卒の人たちが続々集まってきて、いまや社員二〇〇人の大半がそういう人たちだということです。

平和酒造の場合も、従来の酒造りは、杜氏まかせでおこなわれていたのに対して、これをあらためて、社員全員を「蔵人」という名称でトータルな酒造職人であるという位置づけにしたのです。そして、製造と営業を分離しないで、営業部員も製造に携わるし、製造部員も小売店の店頭や展示会に出て営業をおこなうようにしています。平成建設が「家を建てる」ために働くというトータルな人格を社会に対して提供するのに対して、平和酒造は「酒を造って飲んでもらう」ために働くトータルな人格を育てているわけです。これは素朴で当たり前のことのように聞こえるかもしれませんが、近代的な分業労働においては観念的にしか成立しないものであって、こうしたことが現実的に成り立つのは、ある意味で非近代的な関係なのではないかと思います。

平和酒造社長の山本典正さんは、こんなふうにいっています。

「泊まり番は希望者を募って決めているが、ほぼ全員が希望してくる（麹づくりは酒造りの肝であり、蔵人の花形職といえる）ので、実質交代制になっている。従来は杜氏が一人でこなしていた作業だが、現在の平和酒造では、蔵人たちに酒造りの全技術を会得してもらうため、深夜勤務手当を支払って、希望があればだれでも経験できるようにしている」

「「なぜ社員たちが二四時間業務を進んでこなそうとするのかというと」そこは「ものづくり」の

魅力にほかならない。しかも、工業製品ではなく、日本の気候風土が育んだ自然の恵みを原材料とした酒造りであるからだ。自然とともに生きながらものをつくる喜びが彼らの生きがいになっている」

これも、一種の多能工化であり、職人化です。そうすると、従業員のほうも、業界のスターになったり、高給取りになったりすることをめざすのではなくて、ものづくりに徹していくようになります。「一人前になる」ことの意味が充分高い収入を得ることではなく、蔵人として良い酒を造れるようになることを意味するようになるのでしょう。

たとえば従業員との間のこういうエピソードが紹介されています。その従業員は、よくできる優秀な社員で、酒造りのエキスパートとして高給を取れる可能性があったのだけれど、「ぜひ君に一千万円級のプレイヤーになってほしい」と発破をかけたところ「僕は一〇〇〇万円じゃなく六〇〇万円でいいから、残りの四〇〇万円をほかの人がもらえたほうがいいです」といったというのです。

これについて、社長は、「平和酒造に入ってくるのは『ものづくり』がしたいという人たちだ。彼らは、自分がいいものをつくりたいのであって、人に勝ちたいのではない。たとえ自分が一〇〇〇万円もらっても、まわりが年収二〇〇万円で苦労をしている姿を見たとき、楽しく働ける人たちではないのである」と書いています。*

＊　以上、山本典正『ものづくりの理想郷——日本酒業界で今起こっていること』（dZERO、二〇一四年）p.39、p.41、p.92

これを奇特な利他主義者のようにして理解すべきではないと思います。酒造りによって成功者になることではなく、酒造りそのものがインセンティヴになっている人間にとって、むしろそれは自然な反応だと考えるべきです。全人格的コミットメントは対象と環境に対して有機的な関係を形成しようとするので、アンバランスな利己主義によってそれを破壊するものはむしろ単なる幼稚な愚か者になってしまうのです。

スーパーマーケットのオオゼキの場合は、「個店主義」という運営方針を採っています。「個店主義」というのは、各店の部門責任者、たとえば青果なら青果部門の責任者、鮮魚なら鮮魚部門の責任者が、その部門の仕入れから品揃え、陳列まで、みんなまかされる方式なのです。そうすると、ここの店には自分で豆腐づくりをやるお客さんが来るから、ニガリを置いとこうとか、それが人気になって定番商品になるとか、あるいは、半分切りにして売ってる白菜を前にして考え込んでいるお客さんがいるんで訊いたら、四分の一なら買うんだけどというんで、その場で四分の一にして売ったら、それを求める人がたくさんいて、どんどん売れたとか、そういうふうに、お客さんに合わせた店づくりができるようになったのです。

これは、八百屋や魚屋の個人商店がやっていた売り方、店の運営のしかたなのです。それをスーパーの店舗に取り入れたわけです。ひとつひとつのスーパーマーケットが、八百屋、魚屋、肉屋といった個別店の集合である、という発想です。そして、部門責任者はそれぞれの個店の店主だということにした。こういうやりかたを採ったわけです。これを「個店主義」といっているのです。

こういう運営のもとでは、従業員がシステムとかマニュアルとかに頼るのではなくて、お客さんと直接向きあって、そこから自分でえた情報をもとにして、お客さんの要望に応えるにはどうしたらいいかという自分の判断を見つけ出して働くという働き方になるわけです。これがオオゼキが大繁盛するもとになったといわれているわけですが、これもサーヴィスを提供する者とサーヴィスを購入する者との間での不断のセッションによるものだと見ることができるのではないでしょうか。

マクルーハンは、『人間拡張の原理』で、具体的交渉現場からまったく抽象化されてしまった近代的な価格システムと、目の前の相手との取り引きで個別に値段を決める「値切り」のドラマチックさを対照していますが、[*]オオゼキの個店主義にもそういうドラマチックな過程へ参加していくときのワクワク感や需要と供給が人格レベルで関係する実感があって、それが単なる組織内成果主義などにはないエンゲージメントを生んでいるのだろうと思います。

＊ マーシャル・マクルーハン〔後藤和彦・高儀進訳〕『人間拡張の原理』（竹内書店、一九六七年）pp.165~166 なお、この原著 Marshall McLuhan. *Understanding Media*, 1964 は、別に『メディア論―人間拡張の諸相―』（みすず書房、一九八七年）としても翻訳が刊行されています。

これら三つの企業の例は、たまたま僕らの目に止まったものであって、ほかにもこうした企業はいろいろと出てきているのではないかと思われます。そして、そこに「賃労働を超えた自由な労働」に向けて歩んでいく具体的な途を見ることができるように思います。

人間にしかできない仕事

現代社会のどうしようもない閉塞感の原因には、労務管理上の小細工が通用しないのはもちろん、もはや昇給さえもエンゲージメントアップにはつながらなくなってきている現実があるのではないかと思います。情報化によって世の中の仕組みが大きく変わって、実はわれわれのマインドそのものもその影響を被っているのに、それをまったく自覚せずに、「カネ」「物欲」「消費」といった従来社会における最大の牽引役がいまだに同じ役割をになえると勘違いしている人がまだまだ多いような気がします。

すでにマクルーハンが『人間拡張の原理』の「貨幣」の章[*]で予言していますが、仕事の実態が専門分化した各種労働間の分業から、プログラム化されたインフォメーションの動きそのものへと変わることによって、貨幣もまたメディアとしてそこに籠る力の内実が変化して、かつてのような重要性を失うということがあります。そういうことが起こりつつあるのです。またそこにおいては人格から分化した形での労働というものがなくなり、部族社会―― tribal society の訳語です――における仕事がそうであるような全人格的なコミットメントに変わる、とマクルーハンはいっています。これらの変化が、いま起こりつつあるのです。

＊　前掲・『人間拡張の原理』pp.164~181 第一四章「貨幣」。

ＩＴが飛躍的に進化するなかで従来通りの業態のエンゲージメントがどんどん下がって、あの手この手のテコ入れもうまくいかない一方で、やる気のある大卒の若者が地方の中小企業に就職して前近代的な職人気質の仕事に従事して高いエンゲージメントを発揮するという事態の背景には、こうした大きな変化があるように思います。

マクルーハンが提起した問題は非常に重要です。前に情報化というのは、既存の生産を飛躍的に効率化・合理化する手段だととらえたらまちがいであって、生産そのもの、仕事そのもののありかたをすっかり変えるものなんだとのべましたが、みんな、わかっているつもりで、それを近代の産業化の延長で考えてしまいがちだし、いま出されたような貨幣のありかたとか、社会編成のありかたとかが近代とは変わっていってしまうんだというふうにとらえられていない場合が多いのです。

貨幣については、何にでも換えられるカネというメディアの意味が変わってきてしまったことを意味してもいるわけで、やりたいこと、ほしいものがあるのなら、いままでのように、カネを得て、そのカネを使ってやりたいことをやる、ほしいものを得るという順番ではなくて、貨幣なんかを媒介にしないで、直接やりたいようにやり、ほしいものをつくればいいじゃないか、あるいはそれをもっている人と直接交換すればいいじゃないかということになってきているわけです。しかも、情報化の進展のなかで、それがかなりの程度まで可能になってきているのです。

こういうことをいったら、それはかつて「価値法則は揚棄された」といった朝鮮労働党の主体(チュチェ)思想と同じ幻想だといわれたことがあります。けれど、商品経済がなくなるとか、貨幣は不要になったとかいうことをいっているのではないのです。交換に対する互酬、メイン・エコノミーに対するセカンド・エコノミーがどんどん比重を増していって、それに依拠して生きていける余地が広がっているという事実を指摘しているのです。

また、貨幣を得るための労働すなわち賃労働というものも、むしろ衰退する方向にゆくだろうと思います。そういうふうに、現在の状況を、賃労働が要らなくなってきているという側面から見た場合にも、僕らの仕事のありかたが、同じ方向で変わっていくであろうことがわかるわけです。そこに、自由という問題が新しい意味をもって立ち上がってくるのです。

前に取り上げた調査で、近い将来に四七％の仕事がなくなるということでしたが、なくならない仕事、人間がやりつづける仕事は何かといったら、なくなる確率〇・〇〇二八％で、なくならない仕事第一位なのが、レクリエーション・セラピストだというのです。どういう仕事だかよくはわからないのですけれど、どうも、スポーツやゲームなんかを通じて、身心の不調や障害からの回復を図る手助けをするトレーナーのようなものらしいです。こういう仕事は、どうやったらいいという定量化されたノウハウがない仕事だと思うのです。だから、ＩＴやＡＩで代替しにくい。人間にしかできない。

それから、いま急速に進んでいるロボット技術のなかで、何が遅れているかというと、ロボットの感覚開発では、視覚、聴覚に比べて臭覚、味覚、触覚の開発がかなり遅れているということです。これらの感覚は、対象に直接接触して、複雑な要素をまるごと感知しわける感覚ですから、そういう感覚はロボットのような自動機械には不得手で、人間に比べてかなり劣っているということなのです。ここにも、これからの人間の仕事、人間でなければできない仕事を考えるうえで示唆するものがあると思います。

そういうITやAIで代替しにくい仕事、人間の身体機能のほうがまさっている仕事は、従来の賃労働よりもセカンド・エコノミー、非金銭経済に適合的だということもいえるのではないかと思います。だから、ITやAIで代替可能な仕事は、基本的に自動化・情報生産化してしまってもかまわないから、そうではなくて、人間でなければできない仕事、人間がやったほうがずっといい仕事をみんながさまざまなかたちでやるという方向に行ったらいいと思うのです。

そして、そういう人間でなければできない仕事は、いろいろな意味で人格的なコミットメントを必要としますから、そうした仕事がおこなわれる場が、形式的コミットメントでも済むような公認社会から全人格的コミットメントを必要とする実在社会へとシフトしていく傾向が進んでいくことになると思います。

脱近代の過程で「楽園のパラドックス」に直面する人間の未来の仕事はどういう方向に進んだらいいのかという問題で、前にのべたように、完全雇用、逆奴隷制、自己雇用の三つの選択肢が示されましたが、いま見たようなことを考えるなら、長期的に見て第三の選択肢、すなわち自己雇用を選んで、その方向にゆくべきだと思うのです。それが楽園のパラドックスを超えていく途だろうと思います。そして、その萌芽的な形態を示しているのが、さっき挙げたような中小企業におけるワーカーの働き方だと思うのです。

このように「外在的インセンティヴによって稼動する賃労働」が衰退し、「全人格的なコミットメントが必要になる仕事」が成長する時代が来るという話をすると、「そんなの単なる趣味であって、仕事ではない」という反応がかえってくることが多いわけです。「労働」イコール「人格を否定するような苦役。嫌だけど生きるためにやらなきゃならない必要悪」、それに対して「趣味」イコール「労働で損なわれた人格を回復するもの。限られた時間の中で好きなことばかりできるが、生きることとは直結しないもの」という暗黙裡の固定観念自体が「働くこととは賃労働のことである」という時代に確立した誤った見方だと思います。

先程取り上げた中小企業の例などは、従来型の雇用労働のありかたから新しいワークの姿へと緩やかに変化していく過程のような形態なので、大きな観念的な転換を説くよりも一層現実的で説得力が出てくる話だと思うのです。

また、たとえそれが企業に対するロイヤリティというかたちをとっている場合でも、エンゲージメントというのは、企業へのではなく仕事へのエンゲージメントですから、仕事へのエンゲージメントを高めるということが根本的に必要なことになってくると思います。その場合の仕事というのは、賃金をえるという目的に収斂されてしまうものではなくて、「生きる」ということそのものと重なり合うような営みのことなのです。だから、仕事へのエンゲージメントを高めるということは、その仕事というのが人間にしかできない仕事であるならば、生活へのエンゲージメントを高めるということと直結しているのです。

フロネーシスの時代が始まっている

それでは、現在の技術水準において、ＩＴやＡＩをいくら使っても人間にしかできない仕事というのは何か。そしてそういう「人間にしかできない仕事」を自分でやっていくうえで必要なものは何か。それを知性の問題としていうなら、アリストテレスのいう「フロネーシス」の知性だと思います。

アリストテレスは、『ニコマコス倫理学』のなかで、人間の知性を五つに分けています。テクネー、エピステーメー、フロネーシス、ソフィア、ヌースの五つです。それぞれ技術の知、学の知、知慮の知、智慧の知、直知の知というふうに訳されています。

そのなかで、フロネーシスというのは、知慮の知と訳されているのですが、いったいどういうものなのか。アリストテレスのいうところを要約しますと、フロネーシスの知とは、まず必然的なものではなくて偶然的なものをめぐる知である。だから、答えが定まっているような問題を解く知ではなくて、答えがどうなるかわからない、あるいは答えはないのかもしれないし、いろんな答えがありうるかもしれない、そういうような問題を探求するための知なのだというわけです。それから、部分的な目的のために働く知ではなくて、全体的な目的の達成をめざして働く知である。そして、全体的な目的の達成のためには、実践可能な状態に達する知でなければならない、というわけです。まあ、ざっとそんなことをアリストテレスはいっているのです[*]。

＊ アリストテレス〔高田三郎訳〕『ニコマコス倫理学』上（岩波文庫）第六巻第五章「知慮」pp.223~226

近代の知の主流は、エピステーメーとテクネーでした。学の知と技術の知です。その二つが結合した科学技術が近代の知の主流でした。その知の最先端が生みだしたものが、ＩＴとＡＩです。それらのものが、近代の知の結晶として、部分的な知の効率性においては、人間の知の効率をのりこえたのです。エピステーメーやテクネーの知は、答えが定まっている部分的な課題については、ITやAIで代替可能な知性なのです。というか、むしろ、場合によってはITやAIのほうが得意だといえるような知なのです。

ところが、フロネーシスの知というのは、ITやAIではまだうまく使えない知なのです。それらが不得意な知性なのです。そういう知性こそが、これからのワーカーには求められているということです。答えがどうなるかわからない、はっきりした答えが出るかどうかも確かではない問題、だけど、自分としてはどうしても一定の答えを出したいし、そういう答えを出して実地に実践しなければならないように迫られている問題、そういう問題に対しては、そういうモティベーションをもった人間が自分で、あらゆる知を動員して取り組むしかない。そのときに働かせる知がフロネーシスなのです。

さっきいったように、人工知能ロボットでいちばん遅れているのは、嗅覚・味覚・触覚、つまり直接触れて、非常に多様なさまざまな要素を一挙に感じ取って、一瞬のうちに総合的に判断できる感覚の開発なのです。対象を要素に分解してとらえて、その分析を総合することで対象を再構成するというような把握は、人工知能は得意なのですが、こういう把握はうまくできないのです。人間にかなわない。

機械化・自動化ができにくい、こういうような感覚にもとづきながら考えていく知性がフロネーシスですから、人間は、これからはこういう知性を磨いて、そういう知にもとづく仕事、そういう知を通じてしかできない仕事をもっぱらやるようになっていくだろうと思われます。ですから、いまから、そういう知性を身につけていかなければならないと思うわけです。これからの時代、これまでのようなエピステーメーやテクネーの知ではなく、フロネーシスの知こそが人間を自由にするのです。

ＰＣはたしかにフロネーシスの知の代替はできないでしょうが、外在的な支援は充分できると思います。クリエイティヴな仕事をしている人たちがいかにＰＣを活用しているかを見ればわかります。そこではどんなにＰＣへの依存性が増大してもそれが作業全体の代替可能性に絶対に転化しないこと、そしてクリエイター本人によるＰＣのカスタマイズが重要であることが特徴です。つまり情報処理作業におけるＰＣの役割とは違い、クリエイティヴな作業においては、ＰＣはむしろ前機械時代の「道具」に近いところがあるわけで、machine というより tool としての役割を果たすのです。これからは、使う側のフロネーシスの知を前提にしながら、むしろそういう使い方ができなければならないようになるでしょう。

それから、全人格的コミットメントが必要になってきたということに関わって、セッション能力というか、個別の問題で個人と関わって、具体的な解決を共同で見出していく能力のようなものが重要になってきているのではないかと思います。「結局世の中お金でしょ」みたいな話は最底レヴェルでの説得力を保持しつづけるでしょうが、それによっては具体的には何の解決も進展も期待できないケースがどんどん増えてくると思います。

「共通善」とでもいいましょうか、かつては「効用」というものがみんなにとって同じものとして前提されていて、そのよい効用をできるだけ手に入れやすくするということが基本になっていたと思うのですが、「結局みんなお金」というのはそういう状況においてはいちばんわかりやすく通じやすい話でした。その場合には、普遍的な媒介物であるお金に還元してしまえば、具体性や固有性の齟齬は割と簡単に相対化できてしまえて、マニュアル化や自動化がしやすかったわけです。フロネーシスなんて不要だし邪魔でさえあった。

でも、そうした各構成員に分有された共通善への志向をお金が媒介して社会が回っていくという関係は、いまはもう機能不全におちいってきていて、逆の見方からいえば、いまだにそのリアリティしかもてない関係性からは何の活力も可能性も生まれてこなくなってきているのです。こうした社会関係がそもそも有史以来ずっと続いてきたかのような馬鹿げた誤解をしている人たちにとってはまさに絶望的状況でしょうが、そうした固定観念から自由な人やすでに新しい関係性への模索を始めている人にとっては、こうした関係性の没落は絶望につながりませんし、むしろ自由につながっていくのです。

これらの新しい状況を生み出したのは、情報化であるわけですが、情報化の本質を機械的なものだと考えるのは誤解なのであって、現代の情報化は大きなものよりも小さなもの、独立した対象よりも諸現象の間の関係性、普遍的なものよりも特殊なもの、客観的でわかりやすいものよりも微妙なまたは潜在的なものへのアプローチに向いているのです。

そこから考えると、「努力した分だけ幸せになれる」というような理想は機械全盛時代特有のもので、工場がガンガン生産して市場でバンバン売れれば国民経済がガバガバ潤うという構図の小市民的な相似形のようなところがあります。この理想は生物的リアリティに合いません。それは水と肥料をやればやるほど植物が育つなんてことが絶対にないのと同じです。必要なのは均質な努力を反復することによって量的に増大させることではなく、会うたびに微妙に姿を変える具体的対象との高頻度の接触と、客観化できない微妙な問題を汲み取って対応を模索できるような知性なのです。

ブラック・リアリティという社会現象

労働と仕事をめぐる現在の状況のなかで、この状況を切り開く方向を示しているいくつかの企業について見てきましたけど、そういった企業と比較したとき、ほかの企業のどういうところが問題なのか。たとえば、前に、ブラック企業というのは、経営者が悪辣だとか、強欲だとかいうことに帰するものではなくて、経営者と労働者のブラックな相互依存関係によるものではないかといいましたが、そのことを「人格と自由」という観点から考えてみたいと思います。

ブラック企業という存在に現代社会の本質が端的に表現されているのではないかという問題意識から、「ブラック企業問題」というのより、そういう問題が起こってくる基盤にあるもっと包括的な問題として「ブラック・リアリティ」という問題を考えてみたいと思います。

ブラック企業という存在は社会の「皮膚」で起きている症状に過ぎないのであって、それを見ているとブラック・リアリティという「内臓」レヴェルの深い疾患が浮かび上がってくるわけです。だから、ここでは人道的な見地からブラック企業を非難したり、弱者救済的な対策として法的規制を検討したりするといった対症療法的なアプローチを問題にしようというのではありません。あくまで社会の内臓の根本的疾患を社会の皮膚において表している病症として、その内臓疾患を診断するための手がかりとして検討したいのです。

問題は、ブラック企業というのは、どんなに非道で愚劣なものでも、言わば愚劣ではあるが故に、ある状況においては最適解になっているというところに存在理由があるということです。この社会は、ブラック企業が最適解になってしまう状況を生み出している。そこに成り立っているリアリティをブラック・リアリティと名づけて、それがどうしてリアリティをもってしまっているのかを探ってみたいと思うのです。

このブラック・リアリティという観念はもともと多種多様な雑感が織り交ざった漠然としたものなのですが、それでもいくつかの基本的な特徴をあげることはできます。これらの特徴は現代社会が置かれている状況、なぜそこに至ったのか、これからどうなっていくかを考える上でとても重要だと思うので、一つずつ挙げながら考えていきたいと思います。

「このメディアにくっつくしかない」というアナクロなリアリティ

まず一つの特徴として、こうした関係が社会問題として急速に擡頭してきた時期が、新聞・テレビ・政党などの近代を代表するマスメディアの急速な没落と時期的に重なっていたことが挙げられます。

文化メディアとしての新聞・テレビ、政治メディアとしての政党、そのどちらもが特に全国ネットの大衆メディアにおいて凋落が著しくなってきたこととブラック・リアリティは関連があるのではないか。ただ、そのことと直接の関連があるというよりも、そうした全体社会規模の大衆的なメディアが凋落していっている根拠と関連があるのだと思います。

特に直接的な関連としては、経済メディアとしてのマネーのありかたが変わってきていることと関連していると思います。もちろん、経済的な交換のメディアとしてマネーがもつ意味は依然として大きいわけですが、その態様が大きく変わってきています。それは、文化メディアとしての新聞・テレビ、政治メディアとしての政党などと比べると、なにしろ近代社会のもっとも基盤になっている経済メディアですから、まだまだ著しい凋落の兆候を表しているわけではありません。しかし、その態様は次第に大きく変わりはじめています。国家管理の通貨だけでなく、さまざまな地域通貨やエコマネー、仮想通貨、さらには各種ポイント制が出てきているし、非金銭的交換や互酬によるボランタリー・エコノミーも広がってきています。

その背景には、交換価値中心の経済から使用価値中心の経済へのシフト、さらには所有より利用に重きを置く生活行動へのシフトがあります。買って自分のものにするよりも、借りて使うだけのほうが合理的ならそちらを選択するという傾向が強まっていますし、それに合わせてレンタルや利用のビジネスが発展してきています。これが労働というものを変えていくことにつながっているのではないかと思います。雇用労働で賃金を得て、所有した貨幣を貯め込んで、それを使って好きなことをするという生活様式が、特に若い人たちの間で衰退しつつあります。

そうなってくると、労働でも好きなことを好きなようにやりたい。だから、labor（苦役）という意味での労働ではなくて、work（仕事）という意味で労働をとらえるようになってきています。生活も、なんでもかんでも豊かな生活なんていうふうには考えない。必要ということをひとりひとりにとっての固有な合理性において考えるようになってきている。だから、若者がモノを持たなくなってきています。所有した多くのモノに囲まれた生活ではなくて、必要なときに必要なものを利用できる生活へと変わってきています。

そういうふうに、労働も生活もクリエイティヴなものになっていこうとしているなかで、そういうふうになれない労働者が相当な量で生み出されてきています。また、そういうふうなクリエイティヴな志向に反するようなビジネスしかできない経営者が取り残されてきている。その両方が結びつこうとしているのではないかと思われます。

みんながそれを介してつながっていた唯一無二の普遍的メディアが多種多様な代替物が登場することによって急速にかつての意義と地位を失ってきているわけです。ところが、ブラック・リアリティにおいては、こうした状況にもかかわらず「結局最後はお金がすべて」という旧時代のリアリティが依然として支配的なのです。

この観念が実際に唯一無二の説得力をもっていた時代においては、それを否定する立場の多くは「お金だけじゃ幸せになれない。心が大事だ」といった陳腐で欺瞞的な精神主義でした。けれど、今やそうではなく、むしろ「お金でしかつながっていない関係性のコスパが著しく悪化する一方で、個別の関係性に適したメディアを使うことができるとお金がなくてもコスパが非常に向上する」ということが明らかになってきているのです。この状況のもとにありながらカネへの執着や依存度が高いということは、金銭欲の問題ではなく、むしろ新しい状況に対応できないことの方が本質なのではないかと思います。

自分は何者なのか、何がしたいのか、そのために必要なものは何か、他者の協力を得るためにはどんな関係性の構築がふさわしいのか……といった自問と並行させながら多様なメディアを通じてそれを模索するという類のことができず、ある意味では消去法で唯一無二の結論として「結局はお金しかない」になっているのではないでしょうか。そこではお金そのものがどんどんかつての社会的メディアとしての意義と力を失っていくにもかかわらず、そのお金を得るために苦役を甘受することが「仕事」になり、お金の説得力を背景に人に命令するのが他者との関係性の実質になっていくことによって、まるで零落するメディアと心中するかのように孤立と弱体化が進んでいっているような気がします。

そんな馬鹿なと思う人もいるかもしれませんが、金と票を集めることはできても本当に力になってくれるような協力が得られなくなっているというのは現代の政治ではすでにはっきりと現実化している問題です。選挙で勝ち、大金も動かせるようになったけれど、政治的には何一つ成し遂げられないという状態は今や特に不思議ではない光景になっています。金や票といったかつて大きな意味をもっていたメディアは今や社会的な潜勢力が付随しないものになっていると考えた方がよさそうです。

悪化スパイラルに陥っているブラック・リアリティ

次に指摘したいブラック・リアリティの特徴は、「社会の活力が広範囲で致命的に低下するなかで、今まで有効だったどんなテコ入れも効き目がない」こと、「若干の指標上の改善があっても、それが今までのような有意性をもたない」こと、「変動の時代において新しい社会が模索できずに惰性や変化に対する不安から従来社会のありかたを盲目的に維持しようとしている」こと、こういった傾向が現れていることです。

エンゲージメントの致命的な低下の問題は、すでに取り上げたトピックですが、ブラック企業をその原因の一つとして見ること自体は間違っていないと思うのです。しかし、いま普遍的にエンゲージメントが低下していっている社会においては、「結局最後はカネだろ、カネがなかったらお前ら自主的には何もできない孤独な能無しだろ、死にたくなかったら働け」という消極的な説得力のみが支配している状態が社会の底部に生まれていて、それがブラック企業的な経営にリアリティを付与している――というのがブラック・リアリティというリアリティなのです。

その意味ではそれは原因であるだけでなくて結果でもあります。そして、結果と原因がつながっているので、そのことによってそこに構造的に悪循環が生まれることになっているのです。ここにも、零落するメディアにしか依存できないがゆえに社会的な弱体化が加速するという関係が出ているように思います。指標上の改善が現実にはあまり意味がなかったりするのは、指標そのものが従来社会において有効だったメディアにのみ注目して作られているからでしょう。そういうふうに原因と結果がつながっているから、いわばデフレ・スパイラルと同じで、そこに陥ったら、そこにおいてはどんどん悪化していくしかないということになっていくのです。

社会が次第に全面的に没落して弱体化していっているというこの絶望的な状況は、新しいメディアによる新しい関係の模索を始めている人にとっては相対的な問題ですけれど、逆にそれができない人にとっては致命的な問題なのです。ところが、全体として見れば、むしろ後者に属する人たちのほうが膨大にいるわけで、そのことがブラック・リアリティに説得力をもたせつづけているのではないかと思います。

自主性がない人、外部のサーヴィスにまったく依存している人、そのためおカネがなくては何もできない人がたくさんいれば、そこにはそれに応じた経済が成り立つのです。それはブラック企業にとっては、従業員であったり、お客であったり、または自分自身であったりするわけです。ブラック企業の問題は多分、労働環境の問題としてだけではなく、その企業のサーヴィスが社会全体の中でどんな役割をになっているかという問題も同時に考えた方がわかると思います。

いま民間企業、特に中小企業では、経済メディアの変化、労働意識・生活意識の変化に対応したクリエイティヴな企業活動をおこなうところがどんどん出てきているわけです。大企業でも、経営トップはともかく現場レヴェルでは、それなりの対応がされてきているともいわれているようです。ただ、大企業は依然としてマネーに縛られていますから、根本的には変われないでいます。それは中小企業でも、マネーの呪縛から逃れようとしていないところは同じですが、だけど、そこでは、自己の力でそこから脱しなければならないことが明らかになっていって、彼らは早晩そこに気づいていくだろうと思うのです。

問題なのは、政治的・文化的な大衆メディアとしての政党やマスコミに縛られている政府や行政です。彼らは民間企業のようには、社会の変化に対応できないでしょう。それは、旧来の大衆社会のメディアを通じてしか社会をとらえられないし、またみずからを表現できないからです。そしてそれは公的なフレームになっているから、自由にそこから脱することは個別にはできないのです。そうやって、みずからがつくりだしたものである民意という名の大衆の意向に縛られていくのです。それに逆らうと選挙に勝てないし、官僚機構が維持できないと思い込んでいるのです。

相互依存しつつ没落していく途と自立した生産者への途

ブラック・リアリティのもう一つの特徴としては、もうすでに少し言及しましたが、「上も下も便乗と依存のメンタリティが強い」こと、「強者と弱者の関係ではなく、没落していく者同士の関係である」ことという点があげられます。

かつて「階級闘争」が歴史を動かしているといわれていた頃、少なくとも一九七〇年代半ばくらいまでは、資本家と労働者の階級対立が社会の主要な側面であるとされていたわけです。確かに階級としての資本家階級と労働者階級は対立していました。しかし、実際には、対立しながらも相互に依存しあう関係でもあったのです。そもそも、資本家は、生産手段はもっていても労働がなければ生産できないし、労働者は、生産労働はできるけど、生産手段をもっていないので、自分たちだけでは生産ができない。だから、資本家と労働者は労働者とおたがいに結びついてクラスをつくる―― class が階級と訳されたのです――わけだけど、その結びつきが常態になってしまうと、どちらも、自立した生産者にもどれなくなってしまう。

けれど、資本家にとっては、労働者から解放される手段はあることはあるんです。それは、広い意味での機械化・自動化です。いま、特にＩＴ・ＡＩ化によって、どんどん労働者から解放されつつあることは、まえにのべたとおりです。ところが、これも要はコストの問題で、機械化・自動化するより労働者を雇ったほうが安くつく場合には、資本家は、そうするわけです。だけど、その場合には、機械より安い非常な低賃金で働かせなくてはならない。ところが、他方で、そういうところで何のキャリアにもならないような労働をするしかない労働者もまたいるわけです。

その両者が結びついたのがブラック企業であるわけで、キャピタリストとして立ち遅れた経営者が、ワーカーとして立ち遅れた労働者を雇って、きわめて劣悪な職場をつくりだすことになる。しかし、これからは、資本家は、ＩＴ・ＡＩや先端技術、アウトソーシングを使って、雇用労働にあまり頼らない、ある程度自立した生産者になれるし、ワーカーの方も、ＩＴ・ＡＩや先端技術、ソーシャル・キャピタルやクラウドファンディングなどを使って、自己労働にもとづく独立生産者になれる時代になっていくと思うのです。その意味では、ブラック企業は「没落していく者同士」といえるかもしれないのです。

しかし、ＩＴ・ＡＩ化による雇用労働の縮小は、先に見たように加速度的に進んでいきますから、この「没落していく者同士」は、両方からどんどん増えていくことになると思います。そして、「没落していく者」は、旧来の社会関係のしがらみから脱することができないが故に没落していくのです。だから、時代の変化の中で決定的な没落が始まっているということ、それはたとえば「お金」のようにかつては決定的な社会的な力をもっていたメディアに結びついていること、お金で人に命令してきた者もお金のために人の言うことを聞いてきた者も巻き込まれていっしょに没落することを知るべきです。ということは、つまり旧来の対立しつつも依存しあっている関係から「切れる」ことこそが重要なんであって、「切れない」と没落に巻き込まれていくということです。

「嫌われ者同士の結婚」現象

こうした問題とも関係があるのですが、ブラック・リアリティの特徴として「自分が憎んでいる相手、軽蔑している相手に対して致命的に依存している」こと、その一方で「嫌悪感の増大が自立へとまったく向かわないという共依存的な性格がある」こと、「憎しみと軽蔑に満ちた共依存的関係が環境を悪化させるなかで、そこへ堕ちていく人間とそこから離脱する人間の分離が促進される」ことがあげられます。この傾向に対して、たとえば、平和酒造や平成建設のような地方の中小企業に若い才能が関心を寄せはじめる現象は、ブラック問題の拡大と深刻化と同じ環境が生む正反対のヴェクトルとして理解できると思います。

そこが、「ブラック・リアリティ」、社会の内臓の病弊がもつリアリティというものの要だと思います。特に、おたがいに嫌悪しあいながら自立には向かえないで、むしろ依存しあっていくという病的な状態、これをブラック企業の問題から離れて、社会全体の精神的・心理的な問題として考えなければならないと思います。

ブラック・リアリティは精神を侵すものですが、逆に元をただせば、それは病的な精神から生まれ、再生産されていくものであるとも言えると思います。社会を根底から考えるときには経済と精神の問題を同時に追求できるようなアプローチが必要だと思いますが、それと少し関係のある話として、「嫌われ者同士の結婚」という現象について考えてみます。

クリエイター系の人たちのツイートを見ていたら、フリーランスの人たちの間でブラックまがいのクライアントについての話題で盛り上がっていたことがあったのですが、彼らがブラックを問題にする語り口には、社会問題として新聞やテレビがブラック企業問題を扱うときとはどこか決定的に違う感じがあります。

話題になっていたのは、非常識な条件や不当な要求を一方的にゴリ押ししてくる一方で、こちらの正当な要求に対しては何らの対処もしないようなよくあるブラックな会社なのですが、これを問題にするフリーランスのクリエイターからは、ブラックを非難する人たちがよく口にする「非人道的」のような倫理的非難の言葉が一切出てこないのです。その代わりに強く滲み出ているのは「無能」や「劣等」に対する嫌悪感です。彼らはブラックな経営を強者による悪辣な搾取としてではなく、発注能力の欠如、全体をきちんと統括しつつwin-win関係に導いていく手腕の無さ、そうした自身の無能ゆえに発生するリスクを一方的に外部転嫁して乗り切ろうとする劣等な根性……といった側面においてとらえているのです。

結局彼らは「ダメな連中と関わり合いになるとろくなことがないので、きちんとした人たちとお仕事をしよう。そのためには自分がきちんとした人間になることだ」という至極まっとうな結論に至り、周囲に忠告しつつブラックな環境から距離をおくのですが、こういう人たちはたいていクリエイターとしてもフリーランサーとしても優秀な人たちなのです。そして現状において彼らが特に貧窮していない様子を見ると、彼らは彼らに見合った優良なクライアントと実際に結びついているのではないかと考えられるわけです。

このこと自体はとても良いことなのですが、それは同時にもう一つの絶望的な世界をも連想させます。つまり、こういうまっとうなクリエーターが増えていけばいくほど、ブラックなクライアントは早晩仕事に対してまともな意識をもった人たちとは関係がもてなくなるということです。現代における才能が「結局はカネ」のリアリティからますます離れていくなかで、これはかつてなかったほどに深刻な事態です。

こうなると彼らには、実力の無さゆえに交渉力をもたない人、仕事に対する意識が低い人、とにかくお金が必要なだけの人……のみが残されることになりますし、彼らの経営体質もますますこうしたあまり信頼できないような人たちを一方的に支配して仕事を回していくものになっていくでしょう。こうして、ブラック・リアリティが濃化していくのです。

こうした関係は仕事の質を落とし、様々なトラブルや破綻を生みますが、こうした状況で現場スタッフがリスクをすべてこちらに押しつけてくる憎むべき経営者に代わって自分が損害を甘受してもなお仕事をやり遂げようとするでしょうか。そうではなくて、コンプライアンスにだけは抵触しないように服従し、カネさえもらえれば後は仕事がどうなろうが知ったことじゃない、というのがもっとも合理的で現実的な態度になるのではないでしょうか。

こうした関係のなかに蔓延していくのが「仕事も経営者も大キライ、仕事をするのも経営者に服従するのもカネのため」という心情ならば、そうなるのが当然でしょう。世の中にはきちんと仕事をやり遂げることに誇りをもっている人たちがもちろんいますが、エンゲージメントの低い人材を管理するシステムの支配下でそれを実現するのはきわめて難しいのです。

その種の「カネのために仕事やってんだから、それでいいじゃん」という根性は、いつだってあります。そして、一九九〇年代には、そういう傾向が、出版関係を見ても、一流出版社といわれているところを含めて、かなりのところまで浸透してきていたのです。だけど、それは「非常に悪い傾向」ではあっても、まだ一部の腐敗であって、いまのような「構造」めいたものにはなっていませんでした。

最近、大きな企業や組織が起こす問題を見ていると、「現場はうまくいかないことを当然把握していたはずなのになぜこんなことになったのだろう?」と疑問を感じることが多いのですが、もしかするとこの「知らねーよ」体質の蔓延が原因なのかもしれません。

ところが、この「知らねーよ」体質は経営者の方にもあるのです。彼らの多くは金を動かすプロジェクトを始動させ成功させることには関心があり、そのマストのために生きているようなものなのですが、そのための具体的な仕事に関しては興味がなく、丸投げ的に外注してその部分の過程をブラックボックス的にとらえているケースが散見されるのです。ところが、これはこうした企業が仕事に対する意識が高い人たちから嫌われる大きな理由になっているのです。

なぜ嫌われるかというと、仕事に対する知識も興味もないがゆえに外部に丸投げするようなクライアントには、現場の負担や工程に対する影響をまったく考慮しない介入をして仕事を破壊したり、損害と責任を現場に転嫁したりするタイプが多いというのが常識になっているからです。こうしたクライアントからの発注を受けるのは利権やコネクションが欲しいからで、実際には使い物にならないような粗悪品を納品してそれで済んでいる場合も多いようなのです。発注側も受注側も格好さえ付けけば実際の仕事の質なんてどうでもいいというケースが多々あるのです。

これは二〇一〇年ころの話ですが、知り合いの編集プロダクション経営者に聞いたところでは、信じられないような仕事が横行しているというのです。官公庁の刊行物を請け負う仕事で競争入札がおこなわれる。すると、完全に採算割れの価格で入札してくる業者がある。彼らは、仕事が減っているので、社員を食わせるために、ダンピングしてでも仕事が欲しい。また官公庁の仕事をしていることは実績になる。そこまでなら、当時窮状にあった土建業者と同じです。だけど、それだけじゃないわけです。彼らは、こんな資料集、こんな報告書、だれも読まないと思っている（それは実は発注側もそう思っている場合が少なくないということです）。だから、コピペやり放題、校正はほとんどやらない、という窮極の手抜き仕事をやる。発注先のほうも、多少のことは――多少じゃないけどね！――目をつぶって、むしろ予算以下で作れたことを手柄にする。そういうことが、ほぼ公然とおこなわれていると聞いて、絶望的な気持ちになりました。

同様のことが、薄まったかたちであるにしても、いろいろな業界でかなり広まっているということが考えられます。由々しき事態です。だけど、一方で、自立したクリエイター系の人たち、自立したフリーランサーの層も以前よりもずっと厚くなってきていることも事実だと思います。だから、これは分化が進みつつあるということかもしれません。ただ二極分解ではなくて、全体としては没落が進んでいくなかで、自立していく部分が目立ってくるという感じが実態なのではないでしょうか。

このように見てくると、仕事に対する「知らねーよ」体質、きちんとした相手ときちんとした仕事の話ができるだけの主体性の欠如は発注側・受注側双方に共通する特徴であって、その性格ゆえに優良な部類の人たちからはますます疎まれるようになっていく者同士が、「金」や「労働力」や「組織とのコネクション」などを求めて消極的に結びついていくという構図が、一部のブラック企業問題よりもさらに広い範囲で広がって今の日本を蝕んでいる構造、すなわちブラック・リアリティの実態としてイメージされてきます。

現代社会では情報化によって優良な部分同士が大きな組織の媒介を経ずして直接結びつくことが可能になってきていますが、その一方で、そこから疎外された人たちがますます社会的な力を失っていく旧メディアに対する依存を核にしながら、たがいに憎しみ、蔑み合いながら共依存的な紐帯を深めていくという事態が進行しているのです。そして、この傾向はますます広がっていくことが予想されます。これが僕らが「嫌われ者同士の結婚」と名づけているブラック・リアリティの側面の一つです。そして、これと似たような構造が社会全体の精神的・心理的な問題として人間関係全般に見られ、それが精神構造を規定しているのではないかと思われるのです。

「入り口でのくみしやすさ」の落とし穴

「嫌われ者同士の結婚」にはいくつかの特徴があります。すでにのべたものもありますが、「情報化の進展によって力を失っていく社会的メディアへの依存が高い」こと、「具体的な仕事に対する関心やエンゲージメントが低くて、そのために仕事に対する意識が高い人種と馬が合わない」こと、

「自己責任による自主的な行動がとれずに外在的なマストを前提に一方的に命令するか一方的に命令されるかしかなくて、対等な関係が築けない」こと、「おたがいのことを嫌いながらも共依存が深まっていく」こと――などの点があげられます。

これに加えて最近特に感じられるのは「入口におけるくみしやすさ」です。「ゲーム制作会社の求人なのに〝パソコンが使えない人でも大丈夫です〟って書いてあった！　怖い！　何をやらされるんだ⁉」といったツイートを見たことがあります。非常識なまでに条件を下げておいて、まともなところでは相手にされない人たちを誘い込むというのはブラック企業にありがちなやりかたですが、この場合、被用者にとっては条件の低さが「くみしやすさ」であるのに対し、雇用者にとってはそんな誘いに乗ってくるおめでたさが「くみしやすさ」であるわけです。そこでは仕事に関するきっちりとした話をしないで関係を始めたいという点で両者の利害が一致しています。逆に言えばそういう関係しか結べないのです。

しかし、この「入り口でのくみしやすさ」はかならず裏切られます。被用者は過酷な労働を強制されても相手ときちんと交渉するための自己の強みをもっていませんし、もともときちんとした交渉とかが嫌いだからこそ、くみしやすい入口から入ったのだというケースも多いことでしょう。裏切られるのは雇用者だって同じです。能力と意識が低い人間を言いなりにしても仕事の質は上がりませんし、「仕事も経営者も大キライ」なスタッフが自己本位的な動機から「テロ」などと揶揄されるような破壊的な行動――例の「バイトテロ」のような行動ですね――に出るのをコンプライアンスなどで完全制御することはできはしません。

自分がきちんとしようとしないためにきちんとした人たちと関係がもてなくなった者同士はくみしやすさをアピールすることで結婚にこぎ着けますが、きちんとしようとしないという致命的なネックのツケはかなりの確率で払わされることになるわけです。気分が悪いのであまり考えたくないことですが、こうしたブラック・リアリティにおけるもっとも現実的な勝ちパターンは、リスクと害悪を他者に転嫁しつづけた末に最終的には「後のことは知らねーよ」と自分だけ逃げてしまう……ということに尽きるような気がします。

これは多分上の人間だけではなく下の人間にだってできることです。こんなものはもはや社会ではありません。しかし、従来社会のなれの果てという面もあるので、従来社会にぶら下がりつづけた結果、ブラック・リアリティのなかでしか生きていけなくなっていくというなかでは、これからどんどん起こりうることなのです。

そういうケースは、昔は、雇用者側の詐欺的な人集めとしておこなわれていたことで、だまされてタコ部屋に入れられちゃったという話だったのですが、いまの場合は詐欺じゃないのです。雇用者・被用者、それぞれそこにしかいけないようなかたちで出会うようになっている構造があるということなのです。それは、前にいった「資本と労働の対立的相互依存関係」というのがきわめて頽廃したかたちなのだといえると思います。

「労働力商品」の対等な売買契約というのが虚構だということが、ばれてきちゃって、実は偽装された奴隷制と変わらないってことが、明らかになってきているということではないでしょうか。雇用労働は、ブラック企業でなくても、もともと奴隷労働の面をもつものだったのです。だって、生きた人格から労働力というものだけを切り離して売るということなんかできるはずがなく、そこにはなんらかのかたちで人格を売るという面が含まれざるをえなかったのですから。

だから、自立した仕事をしたいと思っている自由を求めるワーカーたちの間では、そういう相互依存関係から脱して、同じ志向の仲間と対等の関係でやっていくというかたちで分離していく傾向が強まっているのだと思います。

普遍的な自由と固有の自由

ブラック・リアリティの特徴をさらにあげると、「公認社会が落ちていく人間や変われない人間のたまり場になるので、多くの人が公認社会による現状の改善を求めるのにもかかわらず、むしろ問題は公認社会において悪化していく」こと、「金や権力をもっているかどうかよりも自己固有の領域をもっているかということや問題に対する自主的な態度決定ができるかということなどの方が重要である」ことが明らかになってきていることがあげられます。

学校がよい例です。「子供の問題は学校が全面的に責任をもって監督すべきだ」という親からの無理な要求をなし崩し的に受け入れていくと、学校がモンスター的な存在に対して自主性を発揮できなくなり弱体化していきます。その一方で、親も本来自分が負うべき責任といっしょに子供に対する実質的な権能を外部に丸投げしてしまう結果として弱体化してしまいます。こうして、全体的には当事者双方の弱体化と責任不在状況下での迷走によって問題がどんどん悪化していくわけです。

こういう世界に落ちていかないためにはお金があってもダメです。自主性と自己固有領域こそが必要ですし、それは既製品として入手できるようなものでない以上、みずから模索しながら確保するしかないのです。

近代というのは、普遍的なものにつながっていくことができるものをもつことが自由を保証する、ということを標榜する時代だったと思うのです。だから、マスコミュニケーションメディアや全国単一政党、さらにはコミンテルンのような世界党、なんでも買える貨幣、特に国際通貨ドル、そういったものにみんなが結びつこうとしました。でも、そうやって得られる自由というのは、普遍的な性格のものであって、そこに自己を投入しているかぎり、自己固有の自由はえられないのです。そこでえられるのは抽象的な自由、具体的中身のない自由だったのです。

それに対して、これからは、自己固有のものをもつことが自由の条件になるのです。そして、そこでえられる自由は、ひとりひとりの固有性に合致した、まったく具体的な自由なのです。ほかの個人から見たら、とても自由とはいえないような状態であっても、当人にとっては、かけがえのない自由であったりするわけです。これからは、そういう自由をだれもが享受できる時代になっていくのだけれど、そのとき必要なのは、個人がみずからに固有のものをもちえているかどうかなのです。そして、旧来の普遍的自由に固執している人は、その固執によって、自己固有のものに至ることができないのです。

固有のものをもっていない者は、近代においては普遍的なものにつながればよかったのですけれど、これからは、そこにつながってもなんにも自由にはなれない。どんななけなしのものでも、自分の固有性から出発して、そこを基盤に自分なりのものを創り上げていこうとする者にこそ自由がある――そういう時代になってきていると思います。

「好きなことを仕事にしたい」というタイプには二種類あって、その「好きなこと」をやりつづけるための自己領域を確立していくために自主的な模索ができるかどうかが最大のポイントで、それをやろうとしないタイプの「好きなこと」とは単なる消費者的嗜好でしかなくて、そこからは自由は生まれてこないのです。自由という観念は本来自己固有領域の構築と深く結びついたものであって、「お金さえあれば誰でも自分の好きなものが買える」という普遍的ではあるけれど受け身で消費者的な自由とはまったく違うものです。場合によっては逆のものです。いま、従来社会のなかであたえられていた自由ではなく、新しい社会を模索するために獲得される自由が問題にされるべきときが来ているのです。

具体的自由と抽象的自由

一九五〇年代の社会をふりかえってみると、家族の血縁、地域の地縁、それから小中学校の学校社会、そういうふうな血縁・地縁というのは、自由を拘束するものだと感じられていました。

オレは船を造る仕事がやりたい、船を造る技師になりたいなんていうと、お前はバカか、夢みてえなこというんじゃねえ、自分の分際を考えろ、ここの浜の人間はみんな漁師だ、お前もオレの後を継いで、ここの浜の漁師になるんだよ、と一蹴されちゃう。

そうすると、根性のある子供は、いまは自分は無力だから、親や親類のいうとおりにしておくけど、なんとか耐え忍んで、早く大人になって自分でカネ稼げるようになろう、それでカネつかんだら、この家、この浜を出て、自分の思い通りに生きるんだ——そういうふうに思っていたものなんです。

この場合、拘束は具体的だし、それを脱してやろうとしている目標も具体的なのです。血縁・地縁の具体的な拘束のなかで、自分の具体的な望みをどう実現していくか、非常に具体的な自由の追求だったのです。そのためにやることも、自分で考えて、努力して、能力をつけて、具体的に関係を作り変えていくことにあったわけです。ところがいまはそうではない。抽象的な拘束に対する抽象的な可能性の追求になってしまっているのです。

抽象的な可能性というのは、近年になって異常な頻度で奇妙な使われ方をするようになった「夢」とか「希望」がそれにあたるのではないかと思います。若者が異常な事件を起こしたりすると、「夢や希望がもてない社会だからだ」と言い出すあれです。潜在的な社会不安の増大とともに、近年「夢」や「希望」はそれぞれの子供たちが成長過程で自発的に具体性をもって育むものではなくて、「無いと自殺や犯罪に傾いていってしまう」ものになっていって、将来の不安を虚飾で払拭しようとする大人たちによって暗黙裡に強要されるものに変わってきています。その意味で、現代の「夢」は大人たちの不安がのりうつったプレッシャーなのです。もともと自我領域が曖昧な子供という存在はその影響を受けながら、虚飾を求める相手を嘘で安心させるようなかたちで「夢」や「希望」を語らなければならなくなっているのです。

自分のなかでハンドリングできない不安は誰かを巻き込んだかたちの解消法を志向していくことになって、そうなると、もともと自我領域が曖昧な子供という存在はその影響をかならず受けます。

現代の「夢」は社会病理がのりうつったプレッシャーなのです。こういう状況のなかで語られる「夢」は自発的な志向性を言い表すものではなくて、夢プレッシャーから逃れるために必要な口実、虚飾を求める相手に返す嘘に近いものになっているのではないかと思います。

その抽象的な「夢」追求の基盤には、もともと近代社会特有の「抽象的自由」というものがあるのだと思います。アレクシス・トクヴィルは、『旧体制と大革命』のなかで、中世的自由と近代的自由を対照的にとらえて、中世における自由は具体的で個別的な自由であったのに対し、近代における自由は抽象的で一般的な自由であるといっています。普通は、中世社会は身分に縛られた自由のない社会で、近代社会が身分制を壊して自由な社会を創りだしたというふうにとらえられているのに対して、むしろ、中世の具体的で個別的な自由を近代社会のように抽象化・一般化するのではなくて、具体的で個別的なままに連合させた社会のほうが自由な社会ではないかということを示唆しているわけです。

そういう中世的自由に対して、近代的自由というのは「自分がなすべきことを誰かから強制されたり命令されたりしない」というかたちであって、いわば平等の派生物としての色合いが強く、定義のしかたももっぱら「〜からの自由」というかたちの消極的なものです。だからたとえば造船技師になるためのスキルもそのスキルを身につけるために必要な条件もまったく備わっていない今の私にだって、抽象的な「造船技師になる自由」はあるわけですが、実力や実力につながっていくものがまったくない以上、中世的な意味での自由はないことになります。平等の派生物である近代的な抽象的自由が生まれながらにしてあたえられているのとは対照的に、中世的な実力としての自由は獲得したり、形成していくものであるわけです。

なぜそうなるかというと、近代的自由というのは、個が即全体であることが成り立つ普遍的な社会を前提にしていて、そういう社会でこそはじめて活き活きと働くことができるものだからです。近代社会というのは、そういう普遍社会を理想にして、それが実現するように、まず個即全体を原理にした共同体を国家として人為的につくって——つくるといってもそういう原理で制度を構成するだけなのですけれど——、そのうえで具体的に成り立っている社会をその国家原理——この個即全体の国家原理というのが現在では国民主権という理念であるわけですが——、それに適合したものにしていこうとする、そういうかたちで進んできたわけです。その個即全体の国家原理に適合しているということになっている社会——あくまで「ということになっている」にすぎません——そこには自由が「あるべき」だといっているにすぎないのです。理想と抽象でつくりあげられた「あるべき自由」なのです。

だけど、そういうことを営々と続けてきても、現実の社会が普遍社会になりはしなかったし、むしろ、そうした理想から遠ざかってゆくばかりだったのです。そして、その過程で確実に実現されてきたのが実在社会の破壊だったわけです。それが一九九〇年代半ばから世界全体でますますはっきりしてきて、理想の普遍社会へ進んでいるはずの前進が、めくりかえって、地獄への道になってしまって、みんなでよってたかって、具体的で個別的な自由をみずからの手で窒息させていっている。これが僕らが「近代のめくりかえり」といってきた事態です。

固有の力というものを否定し、無志向が生む欲望を普遍的に広げ、そのことによって得られる量的な巨大な富を再分配して相対的にも豊かになってきたのがこの社会であったわけです。このやりかたがターニングポイントを越えて機能不全になった現代社会は、魔法の力で拡張と維持を続けてきたブクブクの巨体につぶされようとしています。大衆民主主義と大衆消費社会という海のなかで筋力をつけられないままに巨体に成長して浮遊していた水生生物は、その海が干上がったら、自重でつぶれてしまうしかないのです。

可能性の絶望

これに関連して、キェルケゴールがいっている「可能性の絶望」という問題をいまあらためて考える必要があると思います。

キェルケゴールは、『死に至る病』のなかで、「自己自身を喪うという本当にいちばん危険なことが世間ではまるで何でもないかのようにきわめて静かにおこなわれうるのである。これほど静かに済まされうる喪失はほかにはなにもない」といっていますが、*この喪失が、いまなんでもないかのように大量におこなわれているのだと思います。

* キェルケゴール［斉藤信治訳］『死に至る病』（岩波文庫）p.50 次に出てくる「可能性の絶望」に関する考察は、同書のpp.54~58。

キェルケゴールは、現実性というのは、無限なものと有限なものとの綜合、可能性と必然性の綜合だと考えていて、そのときに、有限なもの、必然性をもとにしないで、無限なもの、可能性を追い求めるなら、絶望を呼ぶだけだといっています。

キェルケゴールの考えはこうなのです。自分が、こういう場所におかれた、こういう人間なんだという具体的な条件のもとにおいて限定されたありかた、それを離れて可能性を追求するならば、その追求は自己自身から遊離したものになってしまう。だから、自己がもとになっていない抽象的な可能性を追っていくことになる。そういう方向に行くと、自己を失ったまま、可能性のなかで、もがきまわって疲れ果てるだけなんだ、ということです。

なぜそうなるかというと、そこには「場所」がないからなのです。この「場所」は『死に至る病』のドイツ語訳では die Stelle となっていますが、原著のデンマーク語でもこれと同じ意味の言葉だと思います。人間は、みずからが置かれている場所を自覚して、そこに立つことによって、有限な自己自身になりつつ、そうなったが故に無限なものを追求することができる、というのがキェルケゴールの考えなのです。

ところが、そういう「場所」に立たないで、抽象的なままに可能性を追求していくと、その可能性はだんだんととりとめのないものに拡大されていってしまって、最後には、それは自己自身にとって隅から隅まで蜃気楼になってしまう、というのです。

この蜃気楼化の過程で、抽象的な可能性の追求は、二つの形態をとりうると、キェルケゴールはいっています。その一つは「希望」Hoffnung の形態、もう一つは「不安」Angust の形態だといいます。この後者の「不安」という形態での可能性の追求というのが、いま起こっている「不安が幻影の充溢を追い求めさせていく」という病理と通じていると思うのです。そして、キェルケゴールは、そういうふうに可能性を追求していく者は、やがて「そこで身を滅ぼすにいたる」といっています。

だから、僕らは、中世の具体的・個別的な自由の追求者のように、あるいは一九五〇年代の漁師の息子のように、自分の場所、自分に固有な場において、「自己自身になる」というところから、自分の生き方を追求していくことが必要だと思うのです。それが何かに「成っていく」、生成 Werden の運動の始まりなのです。

これと反対の、自分の自己を、自分の場で見つめないで、抽象的な可能性の鏡のなかに映して見て、その抽象的な可能性を希望に変えたり、不安に変えたりしているのは、抽象的な可能性の媒体としてのカネで買えるものに還元してしまって、それを買おうとして、買えるだけのカネをえようとして、その手段に受け身で依存してしまうという精神態度――それはどこかシャミッソーの小説『影をなくした男』[*]を思い起こさせます――、そこに通じてゆくものだろうと思います。また、平等という抽象的可能性に自分を委ねて、その保障を国家と公認社会に求めるという態度も、同じ質の問題をもっていると思います。

＊ アーデルベルト・シャミッソー【池内紀訳】『影をなくした男』（岩波文庫）は、自分の影を売って大金をえた男が、影がないがために破滅していく物語です。この「影」が具体的な自己にあたるのだと思います。

近代的な公共性はそういう考え方を出自による差別に結びつくものとして、その上に「無知のヴェール」[*]をかぶせて無化しようとします。彼らのシステムにおいては確かにそれが必要なのだという点において、それは欺瞞ではないとも言えるでしょう。むしろ欺瞞はそれを生の現実であるかのようにして受け取るわれわれの側にあります。われわれは平等原理の貫徹を求めるシステムのなかでその構成員として生きることはできますが、平等原理をみずからの生の現実として生きることはできはしないことを知るべきなのです。

* 「無知のヴェール」the veil of ignorance とは、社会の中で自分が置かれている場やその位置について、ヴェールを被されていて何も知らない状態にあるということを指しています。ジョン・ロールズの『正義論』は、公共において正義が成立する前提条件として、この状態がなければならないとしています。

われわれの生は先祖と環境の恩恵によって成立していますけれど、それは同時に父祖伝来の不完全性を受け継ぎ、環境がもつ限界や悪影響の中にあるわけです。それが生の現実、現実の生なのです。自己自身の喪失というのはきっと、その上から無知のヴェールをかけて、そうした固有の要因を無化してくれるシステムの構成員になることを現実の生そのものに置き換えてしまうことなのではないかと思います。自己固有のものを公共空間に溶け込ませてしまうのです。それはシステムのせいというより、そこに順応していこうとする自分のせいなのです。

平等原理にせよ民主主義にせよ、システムがみずからを貫徹するために不可欠の条件を要求しているという点において、そこには欺瞞はありません。生産性とはまったく関係のない差別が横行している現状に対して平等原理の徹底を求めるシステムは、人権派弁護士が依拠している人間的なものとはまったく似ていないのであって、そこにあるのはむしろ非人間的でさえあるシステムの冷徹な自己実現なのです。欺瞞はむしろ、そうした性格のものであるシステムの原理をそのまま他者に要求したり、みずからそれに従属して内面化したりする過程で、その冷たいシステム的なものが生温かい人間的なものとの間で悪しきハイブリッドを生むところから生じるのではないかと思います。近代は冷たい平等や民主主義原理を生温かいヒューマニズムによって基礎づけています――そこに近代ヒューマニズムの大きな問題点があるのですが、そこにはいまは立ち入らないことにします――。だから、いくらシステムの無機性を守ろうとしても、どうしてもそういうふうになっていってしまうところがあるのです。

人格障害やアダルトチルドレンという問題の原因を遡っていくと毒親の連鎖があったりします。アダルトチルドレンを生み出す毒親自身がみずからの親が毒親だったことによりアダルトチルドレンにされた被害者だったりするケースです。つまり真の原因は、いま悩んでいる当人が関与できないような生前からずっとあったことになります。このことをもって、「当人には責任がない」と言ってしまうのは簡単ですし、公共的に問題にされる帰責性のレヴェルではそれは正しいわけです。だからもし公的な場でそうしたことで差別を受けたならば、「この秩序の中でそんな差別をすることは理に合わないんだぞ!」と主張すべきでしょう。

しかし、ここであえて仏教的なニュアンスで「業」や「因果」という言葉を使うならば、すでにその人の骨肉となっている親の業や因果は、公共システムがかぶせてくれる無知のヴェールによって公的関係においては不問に付されても、別にそれによって浄化されるわけではないのです。出自を問わない関係性の中で「私は親とは関係ないんだ」と思いながら生きていても、それらがいよいよ大きな障害となって具体的に生きている人生に致命的な影響力を及ぼすようになったときに、「私は関係ない」という無知のヴェールは一時的な気休め以上のものはけっしてあたえてはくれません。だってもともとそれは「私的なものを捨象した公的関係においては関係ない」という性質のものにすぎないのですから。「親なんか関係ない」と叫ぶその声がもう親にそっくりだというこの生々しい呪縛からはその程度のことで解放されはしません。

だから長い紆余曲折はあるでしょうが、自分自身として現実の生を生きるのなら、むしろ公共性が不問に付してくれる呪縛をみずから積極的に認めてそれと正対した方がよほどいいし、むしろ解放の可能性はそっちにあるのです。というか、そっちにしかないのではないでしょうか。

しかし、多くの人たちはこの道を選ばず、「関係ない」と言ってくれる関係性に自分のすべてを委ねてしまおうとします。それは自分を現実的な存在としては絶対に扱わないような関係性のなかでのみ生き、かえってそっちのほうを現実なのだと思い込むことを意味します。おそらくこれがキエルケゴールが言っている「自己自身の喪失」ということなのではないかと思います。

拘束に向き合うこと、自分自身に向き合うこと

さっき船を造る技師になりたいという具体的な例を挙げましたが、当時そういうはっきりしたや

りたいことをもっていた人もいたことはいたけれど、普通は、やりたいことはそれほど具体的なものではなかったのです。

　だけど、拘束はあったから、何をやる人間になりたいかはっきりしなくても、その拘束と緊張関係をもちながらやっていかなければならなかった。ということは、将来に向けていま・ここでやりたいことというのは常に具体的だったのです。いま・ここでこうしたいっていうことを具体的にしないと拘束に向き合うことができなかったのです。具体的な拘束に向き合って、それに対抗していくためには、具体的にならざるをえなかったわけです。なぜか。それは、自分の場所にいざるをえなかったからです。

　いまだって、拘束はあるし、拘束は具体的なんです。いま、僕らにとってあたえられる自由は抽象的で、課せられる拘束は具体的なのだけど、抽象的可能性にいってしまうと、拘束も抽象的なものになっていってしまうのです。抽象的可能性を拘束するものは抽象的拘束ですから。実際に自分自身を縛っている具体的拘束と面と向かうことができなくなってしまいます。そこで直面すべき場がないからです。それじゃ、どうすれば自分自身の場をもつことができるのか。

　さっき、自己自身の喪失とは、自分を現実的で具体的な存在としてはけっして扱わない関係性のなかでのみ生きながら、それを現実だと思い込むことだと言いましたが、労働者としての生と消費者としての生以外何もない人生というのが、まさに近代社会が量産したそうした関係性なのだと思います。それが唯一の現実性になってしまった人間にとっては、本来具体的な関係であるべきあらゆるものが抽象的なものに変質し、どんな私的な行為も労働者的労苦や消費者的享楽のヴァリアントになってしまいます。

こういう状態からは「自分自身の場をもつ」という方向性は生まれてこないどころか、諸関係をすべて抽象化してくれる関係性の中で生きることしかできない人たちにとって、そういう場への方向性はむしろ現在享受している生のありかたを脅かすものなので、「不安と反撥を誘発するものになるのだろうと思います。労働者として誰かに命令されるか、お客様として誰かに命令するか、またはそれらと似たような態度でしか人に接することができない人間は、自生的な環境形成をして生きていかなければならない状況を本能的に嫌います。これに対して、場をつくれるのは、具体的で現実的な自分から出発できる人間だけなのです。これからの世の中は、それができるかできないかで大きく分けられていくのではないかと思います。

来るべき社会の予示

ブラック・リアリティの問題にもどりますと、その特徴として最後に、「ある大きな時代の終焉に現れる構造的な必然性をもった状態である」ことがあげられると思います。ブラック・リアリティと呼んでいるこの状態は、ちょっとした逸脱や機能不全ではなくて、もっと人類史的な規模の意味をもったターニング・ポイントが表層において表れたものなのだ、ということです。

広範囲にわたる没落やめくりかえり現象による社会崩壊と並行して、いままで弱小で無価値だと思われてきたものが時代を創っていくことになるかもしれないのです。平和酒造の山本さんは以前人材派遣業にたずさわった経験から、外部依存を拡大しつつどんどん膨張していく日本の企業を恐竜に譬えていました。そこには明らかに「滅亡」のイメージがあるわけです。いま起ころうとしているのは恐竜の滅亡なのです。

その滅亡と創造が交錯する構造は、まだだれにでもわかるような明確なかたちを採って現れてはいません。だけど、予示、英語でいうprefiguration、「いまだないけれどやってきつつあるものをあらかじめつかんで示すこと」はできると思うのです。でも、prefigurationというのは直観的なものだから、できたとしても、なかなか表現するのが難しい。というか、多分、言葉では伝達できないものが中核になっていると思うのです。だから、その中核の周りをぐるぐる回っているだけのような、じれったい伝達しかできないでいるわけなのです。

滅亡と創造という二つの方向への分化とは、たとえば、普遍性のレヴェルでおこなわれている公教育において、学習意欲と学力水準がどんどん下がっていくのに対して、個人的な――ときに珍奇な――問題関心を追求できるような子供はネットなどを駆使して独りでどんどん多種多様な分野の知識を吸収していく、といったような現象のことです。こうした現象が学習以外でもさまざまなジャンルで加速し、全体としては二極に分離していっているのではないかと思うのです。

一方は不安と惰性と化した希望から旧社会の形骸化した普遍的な価値のもとに結集していき、他方は分散的に自己固有領域を形成しつつ新しい形の共同性を発現していくことでしょう。前者は無内容になりながら一つになり、後者は固有の性格を強調しながら多様化していきます。

前者は大きな一つの塊なのにまとまりがなく動きが鈍く脆弱です。開かれた公共性を標榜していますが、実際には構成員の弱体化と消極性によって内向きに硬化していきます。後者は小勢力の分立状態に見えますが、分立したそれぞれ強固な自己固有領域をもっており、動きも活発でしなやかです。固有性ゆえに閉鎖的で排外的に見えますが、実際には自己の固有性への志向が他者への強い関心を喚起するので、普遍性の媒介を経ずに、自分にとって必要な他者に直接的にアプローチしていくことができます。

問題は、「普遍性を志向する従来社会の社会性のみが唯一の社会性だとするならば、自己固有領域の形成はときとして反社会的と見なされかねない」という状態――別の言い方をすれば「公認社会が用意した大きな船に乗らずに自作の小さな船に乗って出発しようとする者は危険なので処罰する」という状態――が、いつまで続くのか、その期間の長さが双方にどんな影響をあたえるのか、その結果として登場する次のステージはどんなものになるのか、という点です。

こうした問題はおそらく国際政治の問題ともかかわってくると思うのですが、それについてはここでは措いて、むしろ前に提起した labor と work の問題をもう少し考えていった方がよいのではないかと思います。

資本と労働の相互依存関係から脱する

ブラック企業というものはなぜなくならないのか。そこにあらわれているのは、近代資本主義が腐朽した結果出てきている頽落した相互依存関係ではないかと思います。これについては、前にも触れましたけれど、もう一度より詳しく明らかにしておきたいと思います。

産業資本主義の社会が成立したときから、もともと資本と労働は対立しながら依存し合う関係にあったのです。このときから、生産手段は資本を私的に所有する者に、労働は生産手段を所有していない賃金労働者にというかたちで分離されていく方向に向かいました。そのことによって、資本家は労働者を雇わないと生産ができないし、労働者は資本家に雇われて労働しないと収入が得られないということになっていったわけです。そして、分離されたことによって、両方がおたがいにそれぞれ別の意味で不幸になっていって、みずからの不幸を相手のせいだと考えて憎みあうようになっていき、しかし、憎みあいながらも結びついていなければならないという関係になっていったのです。

日本でマルクシズムが盛んだった一九六〇年代、遅くも七〇年代半ばまでは、この関係を階級対立だととらえて、階級闘争ということが強調されていたわけなのですが、それと同時に、当時においても、それだけではなくて、両者が別々のかたちにおいてではあるけれど、同じ原因によって同時に不幸になる関係にあるのだというとらえかたもあったのです。それがメインにはなってはいなかったけれど、そういう考え方があったことはあった。そういうとらえかたからすれば、資本主義を廃棄するということは、労働者を解放するだけではなくて、資本家をも解放するものだということになります。こういう考え方は、日本の正統マルクシズムのなかでは、非階級的なまちがったとらえかただとされていたのですが、そういうふうなとらえかたも必要ではないかと思っていた人たちもいたのです。

実は、資本家も労働者も、結びつきあいながら、離れたがっているのではないか。相互依存関係から脱しようとしているのではないか。労働者にしてみれば、資本に搾取されることなく、働く者だけで生産を組織したいということになる。労働者の社会主義運動というのは、もともとは資本家をなくして、労働する者だけで生産する社会をつくることによって、相互依存関係から脱しようとするものであったわけです。だから、マルクス以前の初期社会主義は、主に直接生産者の協同組合による産業社会の自己組織化をヴィジョンにしていたのです。

一方で、資本家のほうも、たとえば機械化や自動化によって労働者を減らしたり、非正規雇用を増やして直接的で密接な雇用関係から脱しようとしてきました。さらには、労働を直接搾取する場から離れて、金融を通じて利潤をえる方向に出ていったりしています。いずれも、労働者というやっかいな存在を自分たちの企業に抱え込んだ相互依存関係から逃れようとする方向を志向しているのだと思います。

しかし、どうしても離れられないできました。そして、いままた、情報化の進展など新しい状況のもとで、両方が離れよう離れようとしているのです。そのなかで、一定程度の単純で平準な労働力を多数投入して操業しなければならない業態の事業では、かえって、やりようによっては、その労働力要請に応えられる労働力を大量に安く集めて大きな利潤を上げられる条件が生まれてきているのです。なぜなら、離れたくても離れられない労働者がかなりたくさんいるからです。

けれど、そこに集まる経営者も従業員も、みんなが脱出しようとしている関係を、ただただ儲けのために、あるいはただしょうがないからあえて続けていこうとしている者たちであるわけですから、両方が悪く依存しあって、低めあっていくことになるわけです。おたがいに低めあうのは、自分が軽蔑しているものに依存しているという関係をおたがいにもっているからだと思われます。

技術史の中岡哲郎さんは、技術革新が現実に社会を変えていくうえでは常に二つの強力な障害が働き、その可能性を著しく制限するという趣旨のことを書いています。一つは経済的要因で、全工程の機械化・自動化が技術的に可能であっても、コストを考えれば依然として人間を使っていた方が合理的な場合には経営者は思い切った設備投資には踏み込まないということです。もう一つは社会的要因で、人間社会というのは元来きわめて保守的な性格をもっており、新技術がもたらす新しい関係がずっと続いてきた生活慣習に適合しない場合には、そうした変化はなかなか社会に受容されないということです。

その経済的要因というのは、やがて克服されていくものなのだけれど、社会的要因のほうは、なかなか克服できないものなのです。そして、新しい技術は、そのままではなく、伝統的な社会的慣習や習俗に合わせて変形されて受容されていくのが普通なのだと思います。

それで、かつて機械は「人間の仕事を代替し省力化する」ものとして認識されていましたが、あるときからはこれが「本来機械がやるべき仕事だけど、それだとコストが高いので、安い労働力にやらせる」という関係になって、そこでは人間の地位の方が逆に機械より低くなっているわけです。ここに非人間的な労働環境の問題があります。機械的な労働は機械にやらせて、人間は人間様にしかできない「高尚な」労働をすればいいんだという話は昔からありましたけれど、生産性と利潤を極大化しようとする傾向は対外的には大きくなりながら対内的には構成要素を分割してシステム化する方向に向かうので、その過程ではいわゆる「高尚な」精神労働さえも機能に分割されて機械化していくという運命にあるようなのです。そうすると、人間様にしかできない労働は「より高尚な」「きわめて高尚な」ものに限られてきます。

すでにのべたかもしれませんが、情報化の本質は機械産業を進化させるものではなくて、それとはまったく異なる関係性を生み出すもので、いまわれわれの前には情報化のなかに含まれる非機械論的な本質と人間が結びつくことによって開かれる可能性が見えてきているのです。ところが、この可能性に対して今度は社会のほうが反動的に働いてくるのです。なぜなら、人間の機械に対する地位向上がままならぬ状態にあるのに対して、機械的な労働をして賃金をもらって生計を立てるという形態のほうはもうすっかり社会に根を下ろしてしまっているからです。

賃金を通じて社会をコントロールするという発想は支配者にとっても被支配者にとってももうすっかり血肉化してしまっているので、それ以外の方向性に対しては反射的な拒否反応を示すようになっています。こういう対応だと、労働環境に対する不平不満を訴えることはできても、「賃金労働によって構成される社会」に対するオールタナティブを自前で用意することはできないので、結局はその構造に依存するしかない――おそらくブラック企業のほうもその辺の足元を見ているはずです。

そして、その拒否反応は、資本の側に立つ人たちより、労働の側に立つ人たちのほうが強いのです。資本のほうは、賃金労働の縮小が必然的であることに目を向けはじめています。だから、先進国では、ゲッツ・ヴェルナー*のように、資本の側のほうがベーシック・インカムを推進しようとしたりしているのです。ところが、労働の側は賃金労働者による労働組合が主体の勢力だから、完全雇用を理想にしていて、雇用の拡大、つまりは賃金労働の維持・拡大を掲げることになってしまっています。ですから、賃金と労働条件のみを課題とする労働組合から脱皮しないかぎり、労働運動は今後の社会の必然的な変化に対して反動的なものになっていくしかないと思います。その脱皮が急がれなければならないと思うのですが、既存の労働組合自体がそういう脱皮をなしとげていくのは無理のような気もします。

＊ Götz Wolfgang Werner　ドラッグストア・チェーン「デーエム」の創業者、監査役。従業員間の協力を促進して人格形成の原則、自信と創造の事業理念を唱える異色の経営者。ベーシック・インカムの導入を唱えています。

もともと、さっきいったような、憎みあい軽蔑しあっている者どうしが結びつくという関係が出てきているのは、基本的な方向としては資本と労働が離れようとしているからなのです。離れられる資本、離れられる労働は、おたがいから離れて——もちろん完全に離れることはできないから相対的に離れて——できるだけ自由になろうとしています。それなのに、離れられない労働者がまだまだたくさんいるという状況の下で、それなら、経営者のほうも、俺たちも離れないで、そいつらを利用して儲けようということになってくるから、そこにブラック・リアリティが成り立ってくるわけです。

こういう状況は労働と資本の矛盾が極致に近づいてきているからで、その極致に近づこうとしているということは資本主義の終わりを示しているという人もいます。だけれど、資本を軸にした経済の仕組みというものはまだまだ終わらないのではないでしょうか。

ただ、近代資本主義は大きく変質して、それ自体としては終わるかもしれません。というのは、ブラック企業のような頽落した企業が出てきている反面、そういう末期症状を尻目に、資本主義企業でありながら、平成建設、平和酒造、オオゼキのような新しいものづくり、新しいサーヴィスをつくりだす企業が出てきているわけで、二極分解、あるいはまだそこまで行かなくても、全体としての没落のなかでの二極の結晶化が始まっているように思うのです。

新しいものづくり、新しいサーヴィスといいましたが、平成建設などこれらの企業は、そういうふうにいえば、まったく昔風の企業でもあるわけです。日本資本主義の特殊な伝統のよい面に根ざした企業だともいえると思うのですが、同時に、ただ単にそういう昔風の伝統へもどろうというわけではないのです。

平成建設、平和酒造といった中小企業の挑戦がもつ可能性は、脱産業社会のありかたをみずから模索すると同時に、そこに賃金労働に代わる自己雇用 self-employment に似た性格を感じさせるところにあると思います。特に平和酒造の場合、現代の経済の本質やその結末を見越したうえで、新しいヴィジョンにもとづきながらやっている感じがして興味深いです。Web2.0 なんていう言葉がありましたが、まさにそういう2.0的な新しい関係性の可能性を感じます。

なかでも、巨大化傾向の一途をたどる大企業を危険視し、そこから距離をとらなくてはいけないといっている点が重要だと思います。企業理念の徹底と共有、不断のフィードバックを通じての活性化、当事者意識と仕事への高いインセンティヴ……そういうものを醸成して維持するためには、会社の規模を大きくしてはダメだというのです。これは平成建設もそうですが、おたがい自立できない大企業と中小企業の巨大な相互依存関係に対して、極めて自立志向的な中小企業が分立しながら連帯していくモデルを提起しているのだと思います。

そこで志向されているのは、内製化、多能工化、スタッフ各人による社会に対する全人格的コミット、働くことを通じての自立と社会貢献……といったことです。そしてこれは、外注化、極度の専門分化とマニュアル化、自主性の乏しい者たちの外部依存関係の巨大な網を「社会」だと考える発想、充分な賃金を得ることが「自立」でそれを消費することが「社会貢献」だという発想……そういった従来社会の傾向性と見事に真逆なのです。

こうした企業の模索に可能性が感じられるのは、従来社会が末期症状を呈しながらも規模を拡大しつつ延命していくなかで、これと正反対の方向性に活路を見出そうとしているからです。これが「公認社会から切れて実在社会へ」という方向の実践なのではないかという気がします。

地縁・血縁の実在社会ではなく選択縁の実在社会へ

さっき「ただ単にそういう昔風の伝統へもどろうということではない」といいましたが、ゲマインシャフト、共同社会というと、どうしても血縁・地縁の結合というイメージになるのですが、いま必要とされているのは、そうではなくて、いろいろな選択的な結びつきが実在社会を構成することになっていくというかたちで成立するゲマインヴェーゼン[*]だと思うのです。

＊ Gemeinwesen　人間は、全歴史を通じてなんらかの本源的共同性を基盤にして、時代ごとにさまざまに異なった共同組織によって社会を構成してきたという考え方がありますが、その本源的共同性をゲマインヴェーゼンといいます。それに対して、ゲマインシャフト Gemeinschaft は人格的な結びつきによって成立している共同社会、ゲゼルシャフト Gesellschaft は物象的な結びつきによって成立している利益社会のことです。

全人格的コミットのためには当然、具体的な人格的関係性が必要になってくるわけです。血縁や地縁といった関係は人間社会が自然に備えていた人格的な関係性だったわけですが、このレヴェルはもはや崩壊しつつあると思います。だからこそ血縁や地縁の復活が必要なのだという人もいるでしょうが、現実を見るかぎり、それは少なくとも直接的なかたちではむずかしいと思います。血縁・地縁の崩壊現象の本質や原因を見極めないままに、家族や地域を再生しようとする試みはうまくいかないばかりか、最悪の場合はマスメディアがお膳立てした「家族愛」や「地域愛」というイメージに便乗するだけにすぎないものとなり、具体的人格関係への志向と正反対の道をたどることだってあるように思われるのです。

非常に大雑把な総括になりますが、生活の内実が（サーヴィスを含めた）商品への全面的依存になるにつれて、生活者の関心が商品経済へと向かう一方で、消費者的自由を拡充するために外へ出て賃金労働をすることが「働く」ことの全てになっていって、それにともなって意識がどんどん外向化していったことが、血縁や地縁が弱体化していった原因だと思います。だから、頻繁にレジャー施設を訪れたり外食したりすることを「家族の絆」のように考えたり、地域産品がマスメディアを利用して全国市場に向かってヒット商品を打ち出していくのが「地域活性」だとするような考え方が出てくるわけで、そういったものにはかえって違和感を覚えてしまいます。

まるで外の力を利用しないといっしょにいることができないかのような関係から社会が自発的に再生していくでしょうか。いかないと思います。結局はそれも誰かがお膳立てした構図に便乗していくことになるのではないでしょうか。現在においてもなお自発的な活性化が期待できるほどの内実を備えている血縁・地縁は少数ながらも存在するでしょうが、内的に薄弱な共同性は何かに便乗して空疎で束の間のハイテンションを示すだけに終わってしまい、持続的な発展を期待できそうにありません。

それに、血縁・地縁というのも、現代社会のなかでは、実は多分に選択的なのです。核家族が一般化していますから、成年になると親家族からは自立して、選択によって配偶者を選んで、みずからの核家族を運営するわけですから、そのかぎりでは家族は選択縁です。居住地域も、かなりの程度、選択的に決められるから、かつてのようにムラに生まれてムラで暮らしつづけるという自然的なものではありません。だから、人々が自覚的に選択縁による社会関係をつくりあげようとしていけば、血縁・地縁もその社会関係に包摂されていくことが可能なのです。そういう意味で、選択縁による共同社会——自覚的なものですから協同社会といったほうがいいと思いますが——というものが可能なのではないかと思います。

だから、意識的な選択縁の下に、旧来の血縁・地縁のような自然的な結合を営んでいくという方向のみが、現在の時点において、共同性を再生できる方向なのだと思います。血縁・地縁に比べれば選択縁は基層をなすものではありませんが、本来ならば内的な固有性が強くて保守的であるはずの血縁・地縁がむしろどんどん外向化してチャラくなっていく状況の下においては、選択縁を通じて新たな基層の形成を模索したほうが持続的な社会の再生につながるのではないかと思います。

選択縁がそういうものになっていくためには、その核となる志向の形成が必要になります。「お金が欲しい」とか「幸せになりたい」とか「平和な社会を実現したい」とかそういう普遍的な目的を志向する人たちの選択縁ではなく、もっと具体的な目的から生まれる選択縁です。ものつくりのケースを例にすれば、「こういうものを作ってみたい」とか「こういうものが欲しい、できないだろうか」といった具体的なセッションを双方が直接つながってくりかえしていくような姿です。そこには市場とマネーを媒介にした生産者と消費者の関係性には望めない具体的で人格的な関係性が求められます。金さえあれば商品を買うことができる消費者とは違い、自分は何者であり、何を求めており、その実現のためにどんな寄与ができるのかという問題意識がもてない人間はそこに入っていくことはできません。

さしあたり核になるのは仕事本位の結びつきであって、仕事を通して自己実現をおこなおうとする者が、その自己実現のために、同じような志向をもっているほかの人たちとの協働を求めて結びついていくという関係――それが核になって選択縁の協同関係が発展していくというかたちが考えられると思います。このような関係は、まだ小さいものを含めれば、いろいろなかたちですでに現れているのです。そういうなかで、これまでの「地縁・血縁の実在社会」ではなくて、それらをも包摂した「選択縁の実在社会」、それがこれからの実在社会の主な形態になっていくと思います。

「量が負担になる」の時代には「閉じながら開く」

普遍的な関係性は量的な勝利を得るためにはいまだに有効ですが、近年その量に付随する質がどんどん劣悪化していく傾向にあります。そういう趨勢のなかで「量＝力」の時代から「量＝負担」の時代へ本格的にシフトしてきつつあるように思われます。そして、それによって、量的勝利と質的閉塞感がどんどん表裏一体化していっている現象が見て取れます。大きくなっているのに、大きくなったが故に、かえって息苦しさが増していく。いくらお金が入ってきても虚しい、いくら支持が集まっても虚しい、ということになってきているのです。

普遍的な関係性は世界大にまで膨張できますが、具体的な関係性には必ず固有の適正規模があります。そのため、その規模を超える量を動員できません。ところが、「量が負担になる」時代においては、むしろこの量的限界がリスクマネージメントにおける長所になるのです。そして固有の関係性に導かれた人たちは、多かれ少なかれ具体的な力になってくれます。それは彼らが何らかの意味で当事者的な存在だからです。普遍的な、したがって抽象的なテーマのもとに集まってきた大衆がそのまま重荷となるのとは対照的に、固有の内容をもった、したがって具体的なテーマのもとに当事者として集まってきた少数者には情報・才能・バイタリティが付随していることが望めるのです。

こうしたことを言うと条件反射的に「無力な大衆を切り捨て、有能な少数者だけで社会を築こうとするのはエリート支配だ」と非難する人もいることでしょう。そう言われたこともあります。だが、それは的外れなのです。なぜかというと、エリート支配というのは、もともと大衆支配とセットなのです。エリートたちは大衆を蔑視しているのでしょうが、その量的なパワーに依存しているのです。彼らはこう考えています。文句は言うくせに所詮は重要な仕事がになえない大衆諸君には無責任特有の量的パワーをになってもらい、自分たちはそれを適宜にコントロールしながら大衆にはになうべくもない根幹の部分を担当しよう――まあ、そういう構図なのです、大衆支配＝エリート支配の構造は。

しかし、いまやすでに「量が負担になる」時代に入ってきているので、こういう構造のエリート支配はもうダメだと思います。これに対して、具体的なテーマで結びついた当事者主義者たちの小規模な関係性においては、当事者というものが常に問題固有の適正規模をもつものなので、その意味では普遍的な広がりをもちません。けれども、現代は「閉じながら開く」ことが可能なのです。だから、当事者主義の閉鎖性は閉塞性にはならないのです。

近代が開かれた社会をめざして、「開く」ことを基本的なマストにしながら「どこまでも開く」と「開きながら閉じる」の緊張とバランスで成り立っていたのに対して、これからの時代を生きる人間には、このような当事者主義の「閉じながら開く」ことが求められるのではないかと思います。

むしろ、いま、「閉じないと開けない」状況になってきていると思うのです。それは、いま典型的には新自由主義が開いていっている方向は、われわれひとりひとりが生きていく本来の基盤をどんどん失わせていくことによってしか開けない方向だからです。これは開いているように見えて、結局は、ひとりひとりが開かれたシステムに飲み込まれたまま孤絶して、そこで閉じてしまう方向なのです。

ところが、そうなっているのに、自分は普遍的なものになって開かれたような錯覚に陥っているのです。こういう開かれ方だと、いくら開かれても、開かれたという気がするだけで、自由になっていないのです。だから、開かれているはずなのに、実際には閉塞感が募るばかりなのです。錯覚の開放社会なのです。それは、自分というものがただ開かれた空間に浮いているだけで、根がないからです。いくらかあった根も、そういう空間に出ると絶たれてしまいます。根がないものには自由はありません。浮遊があるだけです。

こうなってしまうのは、新自由主義のせいというより、近代そのものがもっていた志向のせいなのだと思います。近代の思想というのは、人間というものがそもそも負わされている根本的な条件を出発点にしないで、すべてを克服し、すべてを獲得しうる主体を抽象的人間として立てて、その主体が、人間の可能性は無限だ、なんでもできるんだという抽象的可能性を現実化することが「開く」ことだと思い込んで進んできたのです。それは広いけれど無機的な場への開放であり、空虚な自由です。そういう抽象的な無限系の「開放」志向に対して、具体的な有限系の「開放」にたちもどること、その意味で「閉じる」ことがまず必要なのです。それは初めは狭いけれど有機的な場への開放であり、充溢した自由なのです。

世界＝内＝存在としての人間存在というもの、生物としての人類、世界各地域ごとの自然と歴史によって規定されてきた種族や民族などなど……そして最後はまったく固有で代替不可能な個人の人格に至るまで、それぞれのレヴェルにおいてわれわれひとりひとりが負わされている根本的な条件をふまえて、自分たちの現実と可能性を固有なものとしてとらえていくことが必要だと思うのです。そのみずからにとって固有な領域に「閉じて」、そこから「開いて」いかなければならないのではないかと思います。

これからの時代、お金だとか票だとかフォロワーの数だとかの量的勝利を獲得するための戦略ではなく、自分にプラスに働いてくれるものが自然に集まってくるような関係性を生み出すための戦略が重要だと思うのです。そして、そのためには、自己の固有性を問いつづける自問が絶対の条件になると思っています。その「自己の固有性を問いつづける自問」こそが、抽象的な無限系の「開放」ではなくて具体的な有限系の「開放」の出発点になるのです。自問しないままに膨れ上がる多数者の社会と、自問することを通じて集う少数者の社会の対比はこれからますます先鋭化していくと思います。ＩＴがどちらの武器となるかは言うまでもありません。

当事者性のありか

「閉じる」のは自分が固有に関われる領域に閉じるのです。そして、そこに閉じれば、その固有に関われることに同じように固有に関わっている人たちと結びつくことができます。その結びつきによって「開く」のです。

ここで、このことを先程挙げた新しい企業について具体的に見てみましょう。

平和酒造の山本さんは、デパートのような場所に並ぶ日本酒は贈答品などとして購入されるケースが多いため味そのものよりも知名度や話題性などが重視される傾向があり、現代のコアな日本酒ファンのニーズに応えるような場所にはなっていないという趣旨のことを指摘しています。

平和酒造も現在のような姿になる前までは安いが美味くもない酒を大量生産して量販店に流していた時期があったそうです。だから山本さんは三つの流通形態を挙げているのですが、その三つのタイプというのが他の問題にも応用できる非常に便利なものなのです。一つが安かろう不味かろうの量販店。二つ目が有名で高いけど味は大したことはない酒を扱うデパートの酒屋。そして最後に現在の平和酒造が提携しているような商品知識豊富で美味しいのにそれほど高くない多様なお酒をそろえる優秀な小売店です。

平和酒造の場合、ほんとうに美味しい酒を造り飲んでもらおうとしています。「ほんとうに美味しい酒」がこの酒造家の固有領域です。だから、一般的な消費者ではなく、同じ「ほんとうに美味しい酒」を固有に求める愛酒家と結びつこうとします。そのために、そういう酒造家とそういう愛酒家とを媒介する「ほんとうに美味しい酒」を売ろうとする優秀な小売店と結びつこうとするのです。これら三つ――酒造家・小売酒店・愛酒家――がそれぞれのレヴェルで横の広がりをもっています。それが「ほんとうに美味しい酒」をめぐって共通固有領域を形成するわけです。これは酒というものを媒介にして成立している一つの実在社会なのです。これまでの地縁・血縁の実在社会ではなくて、酒というものを契機にした選択縁の実在社会なのです。このようなさまざまな選択縁の部分的実在社会の集積、それがこれからの実在社会の主な形態になっていくと思います。

ところが、公認社会においては、こういう方向とはまったく違う方向が取られているのです。たとえば、僕らの感覚では、アベノミクスが目指していたデフレ脱却と経済再生というのは、いまいった流通形態の比喩で言えば、量販店に行っていた人たちがデパートに行けるようになるってことなのです。そういう未来像を喜色満面で提示されると、すごくげんなりします。国是としての経済再生って、実際にはすごくアナクロで情弱な考え方だったんじゃないかという気がします。何かを真剣に求める人同士の結びつきとはむしろ反対の方向を向いています。

「とにかく良いものを」とか「とにかく安いものを」とか「とにかく何とかして」といった要望は、それがどんなに切実なものであっても、そこには生産者を刺激して向上させる要素は特にありません。丸投げ的なクライアントが意識の高いフリーランサーから逆に嫌われるのと同じように、お金以外何もくれない顧客もまた生産者にとって魅力のない存在になっていくのではないかと思います。いままで巨大機構を介してしか関係できなかった者同士が直接コミュニケーションをとるようになっていけばいくほど、この傾向は顕著になっていくだろうと思います。

若者は投票を通じて政治に参加する当事者意識をもってほしいなんて言う人がよくいますが、そんなものは畢竟、新聞やテレビを参考にして投票する政党を決める程度の当事者意識じゃないですか。いま広がりつつある可能性は自分が真摯に求めるもののために直接的に他の当事者にアプローチする当事者性です。そこでは「よくわからないけど、とにかく何とかして」なんて声は無価値なものとして一顧だにされません。そもそも当事者性というのはそういうものでしょう。平和酒造のアプローチについて言いたかったのはそういうことなのです。

丸投げへの依存度が高ければ当事者になるわけではまったくありませんし、依存の切実さが強ければ当事者になるなんていうわけでもありません。こんなにも技術的な可能性を享受しているというのに身近な物事に対する何らの当事者性ももてない人たちが、何か紙に書いて箱に入れるだけの行為で政治に対する「当事者性」をもつなんて不健康なねじれ現象です。

たとえそれがどんな下らないと思われているような趣味の分野の問題であっても、当事者として真剣にアプローチして現実を変えていく過程を体験すると、自分と社会に対する意識が変わるのです。自分が具体的に何の関与もできないような巨大機構の営みに対して消費者としてはお金、有権者としては投票用紙、どちらもそれらに含まれる情報はごくごく乏しいのですが、そういったものを介して関与する――それがいま「社会参加」「政治参加」と呼ばれているわけです。しかし、そうではなくて、どんな分野のことであってもよいから、自分が関心のあることで当事者として選択縁を形成するという経験とそれに伴う意識の変化こそが新しい社会への出発点になっていくのです。

資本と労働の新しい関係をめざして

そういう社会をめざすうえでも、公認社会をになっている装置にも、そういう意識を浸透させていかなければならないと思います。そして、特に、実際の公認社会をもっとも実体的に支えている企業というものが変身していく必要があると思うのです。というのは、あらゆる政党が大衆民主主義の枠のなかでそれを強める方向にしか動けなくなっている政治領域よりも、経済領域の企業のほうが、資本主義そのものが本来もっている流動性故に、多様で革新的な試みを自由に展開しはじめており、そちらのほうが可能性が感じられるからです。

僕らが取り上げた中小企業はみんな、企業というものがなんのためにあるのか、ということに対して自覚的です。たとえば、平和酒造は、現在日本で盛んにいわれている「株主のための企業」という考え方に強く反対しています。著書の中で山本典正さんは、「会社はだれのためにあるのか」と問題を立てて、こう書いています*。

「会社はだれのためにあるのか。

株式を公開している企業が株主利益を考えるのは当然だろう。しかし、その利益を出すのはだれかといえば、そこで働く社員以外にいない。

二〇年ほど前から、日本企業でも欧米型の経営が取り入れられるようになった。そこでは、株主にどれだけ利益を分配できるかということが強く問われる。株主の利益を追求していけば、社員の給料はできるだけ安く抑え、サーヴィスを提供している顧客からは最大の利益を奪えということになる。しかし、こうした企業姿勢は、おそらく日本人のマインドには合わない」

「従業員に高いモティベーションを持って働いてもらうためには、所属メンバー全員が喜べる状況をつくる必要がある。その次にお客様を喜ばせることを考え、株主の利益はおそらく最後だ」

＊　山本典正『ものづくりの理想郷――日本酒業界で今起こっていること』（dZERO、二〇一四年）

平成建設も会社は社会のためにあるのであって、株主のためなんて最後だという考え方です。これも社長の秋元久雄さんが書いています*。

「株式会社は誰のためにあるか？　前にも話しましたが、現実は、一番が株主、二番が社長と役員、三番が社員、そして最後にお客様。『お客様第一』なんて言いながら、そうなっていない。本来、そうじゃないでしょう。株式会社は、一番目が社会、二番目がお客様、三番目が社員、四番目が社長と役員、そして五番目が株主のためにある、というのが正しいんです。だから、一般的な株式会社の真逆をやればいいんです」

＊ 秋元久雄『「匠・千人」への挑戦』（河出書房新社、二〇一二年）

どちらの企業の経営理念も、会社は社会のためにある、あるいは従業員のためにあるということが第一で、どちらも結局、お客さんを喜ばせることと従業員が喜んで働けることとは一体のものだっていう考え方です。

生産者と消費者との関係は、市場における「とにかく買ってほしい」と「とにかく安くしてほしい」との需給バランスによってのみ成り立っているものではなく、より具体的で直接的で人格的な関係――現代風に言えばリスペクトという言葉が近いかもしれません――においても成り立っているものです。そして、そういう関係のもとにおいてこそ、さまざまなかたちで生産面での「良い仕事」と消費面での「良い暮らし」とが複合した「良い生き方」の共通固有領域が形成され、選択縁にもとづいた部分的実在社会が成立していくのです。その共通固有領域は、自由な社会的空間なのです。

これは、人はなんのために働くのかという問題にも関わっていて、平成建設は「やりがい」のためだといっているし、平和酒造は「ものづくりがしたい」から働くんだといっている。そして、どちらの経営者も、自分にとって働くことは喜び以外の何ものでもないといっている。そして、働くことを喜びにしている人たちといっしょに働きたいといっている。

そういう働き方をしている人のだれが、株主を喜ばせるために働きたいなんて考えますか。だから、これは、雇用労働の形態を採っているけど、実質的に自己雇用、セルフ・エンプロイメントに近い働き方なのです。だからこそ、お客さんを喜ばせることと従業員が喜んで働けることとが一体のものになりうるのです。企業はそれに出資し経営する資本家にとっては利益のためにあることは明らかです。しかし、労働者にとってはその利益の分け前を得るためのものではなく「良い仕事」のためにあることもできるのです。そして、分け前を多く取って豊かな消費ができること——労働者の消費者としての自由——が労働者にとっての自由なのではなく、「良い仕事」をして豊かな生産ができること——労働者の生産者としての自由——こそが本当の意味での労働者にとっての自由なのではないでしょうか。

投票を通じての政治参加と同じように、社会貢献というとたいていはまったく抽象的で非直接的なイメージになってしまいがちですけれど、たとえば多能工化を目指している平成建設では本当に各人が「家を建てる人」になっていくわけですから、「社会貢献とは家を建てること」という関係が当人にとってまったく直接的で現実的なことなのです。平和酒造でもいままでは酒蔵の外のことには関与しないのが常識だった酒造家自身に積極的に営業をさせています。ここでも「みずから造った酒を世に広める」という生産と社会をつなぐ総合的な人材が育成されているわけです。

最近は自分の存在意義がわからなくて悩む若者が多くて、政府も自治体もそんな若者たちに「社会性」をもたせるためにあれやこれやと対策を講じたりしているわけですが、実際上いちばん大事なのは「良い仕事」ができるようになるということなのです。「自分は家を建てる人間で、実際に一人でも建てる力がある」「自分は酒を造る人間で、自分で作った酒を世の中に広める活動も自分でしている」という人たちが自身の存在意義に悩んだりしないのは、自分の存在と自分の仕事と自分が属する社会の関係が経験と実力という属人的な要素によってきっちりと結びついているからです。

しかし、実際には多くの企業も政府もそんな方向性に活路を見出したりはしないでしょう。仕事と社会との関係を一身で体現できるほどの総合的な実力を一個人が身につけるためには長い時間が必要であるうえに、多くの組織は元々そうした属人的な才能を活かせるようにはできていないからです。結局育成されるのは個々の孤立した職能であり、事あるごとにスローガンとして唱えられる「社会性」や「生きがい」は働くことの空虚感を埋めるために動員される抽象的で現実味を欠いた単なる気分的なものにしかならないのがオチなのです。

容易に代替できないものをもつ

でもよく考えてほしいんです。社会における存在意義を人権とか福祉とかいった抽象的な観念においてではなく、我が身に実感できるようになるには、普通はその根拠となるだけの実際の力を必要とするし、その力を身につけるためには長い時間と努力が必要となる一方で、その分だけ容易に代替できないものになる——ということは当然のことなのです。

たとえそれがどういうものであっても、容易に代替できないものをもっていることが職業としての働きの条件なのです。それを身につけることによって、初めてberufen（職業＝Beruf＝呼び出されること）されるのです。昔、労働者はみんな弟子だったのです。大工や工芸だけではない。旋盤工も炭鉱夫もみんな親方や師匠に就いて技術と技能を身につける徒弟や弟子から始めて、容易に代替できないものを身につけて独り立ちしたわけです。いまだって、職業としての仕事にはそういうものが必要なのです。

この間テレビ番組で、岩手県二戸で漆掻き職人になった若い人が話しているのを聞いたのですが、彼はサラリーマンから漆掻き職人になったんです。何故なったかというと、漆は機械では掻けない、一本一本漆の木に適正なかたちで傷を付けて、そこから少しずつ樹液を採取する、地味で大変な労働なんだけど、「人間にしかできない仕事だから新しいものだと感じた」というんです。それで親方に徒弟として就いて仕事を学んで、いまは独り立ちしている。彼がいっていたように、これからは「人間は人間にしかできない仕事をする時代」なんです。それが容易に代替できないものをもつということだと思います。それが、ＩＴ・ＡＩ時代においては、さらにはっきりとしてきていることはすでにのべたとおりです。

それなのに、過重労働のせいで人間性が失われているという批判に終始すると大切なことを見失いがちです。問題はむしろ、どんなに苦労しても、それが実力として当人の中に結実して個人と社会をつなぐ絆になっていくということがないってことなのです。多くの職場で、そういう労働しかなされていないということこそが最大の問題なのです。ブラックな環境でずっと働いてきた人がツイッターで「何年も苦役に堪えてきたのに、そんな自分は最近入ってきた新人と何も違わない」と嘆いていました。ブラック企業の問題の核心は過重労働よりもむしろこっちのほうにあるのではないかと思います。長年苦役に堪えたところで当人の社会的価値はほんのわずかも向上せず、ずっといつでも交換可能な部品のままなんです。この虚無感はおそらく労働時間の短縮では解決されないでしょう。これは、ブラック企業だけの問題ではなく、多かれ少なかれ、どこの職場でも問題にされてしかるべきことなのです。

没落社会との一蓮托生から脱するには

情報化社会がいよいよその本当の姿を現していく過程で、人や物のつながり方は根底からどんどん変わっていっています。いままで力だったものがいつの間にか単なる負担に変わっていても不思議はありません。そういうなかにあって、大企業や既存の公認社会に適応しているだけの企業は、新たな方向に踏み出せないで、組織として衰退していくだけでなく、没落する大衆社会と一蓮托生の運命をたどる危険があります。

すでに企業にとって新入社員の保護者は社員を無事に会社に定着させるために無視できない存在になっています。親子をセットにした上で親への対応を重視する方向さえも出ているそうです。これは現実問題に対処するためのものとはいえ、常識的に考えても相当ヤバい光景です。企業は今後、あの崩壊の一途をたどる公教育と同じ問題——無気力・無責任な学生（これがそのまま社員になるわけです）が社員として入ってくることによって、近い将来、環境悪化と問題行動、モンスターペアレントによる非常識な過干渉というダブルパンチ――に煩わされることになってしまうことは充分考えられます。これは過大にいっているのではなく、現実なのです。

一九六〇年代の高度成長期までに少年時代、青年時代を送った世代は、小学校に入るまでは「家族」に包摂され、卒業して社会人になるまでは「学校」に包摂され、社会に出てからは「職場」に包摂されるというライフサイクルをたどってきました。これらが実在社会の基本単位だったし、これらへの帰属を通じて、公認社会に組み込まれる仕掛けになっていたわけです。そして、この三つの帰属集団をつらぬく論理は、実は同じだったのです。その論理とは「共同性の枠組みを通じてのみ機能的な目的もまた実現される」という発想だったわけです。*

* 川上徹・大窪一志『素描・1960年代』(同時代社、二〇〇七年) pp.359~363 にこうした発想がどのようにして成立したのか説かれています。参照してください。

ところが、おおよそ一九七五年を境にして、日本型近代化の過程が終わりを告げるにともなって、キャッチアップの目標が消失してしまって、この再生産方式がうまくまわらなくなってきました。特に一九七九年の第二次オイル・ショックを経てからは、この共同性と機能性の組み合わせが推進力を生み出すことができないだけでなくて、むしろ自己矛盾として衝突するようになっていってしまいました。そこで、こうした関係を成り立たしめている場を壊す方向に働くようになっていったわけなのです。ここから日本型近代社会の基盤の解体が始まったのです。

まず最初に解体されたのが「家族」で、次に崩壊したのが「学校」です。そして、一九九〇年代末から「職場」の崩壊が始まっていたのですが、いまや、九〇年代に崩壊した「学校」の病弊が、そのまま今度は「職場」に持ち込まれているわけですから、いよいよ最後の砦だった企業の場が学校の二の舞になるということです。* まえにのべた労働の生産性、ワーカーのエンゲージメントの著しい低下は、その表れです。

＊ 大窪一志『自治社会の原像』（花伝社、二〇一四年）第一章、特に「家族・学校・職場の解体」の節を参照してください。

企業が義務教育と同じレヴェルの問題にからめとられて同じ原理で破滅していくわけですが、いうまでもなくそれは企業がみずからを社会の水準に合わせせた結果なのです。

そんな没落社会に合わせなければいいといえばそれまでなのですが、おそらく多くの企業にとって社会に合わせないことは逆に即時破綻を意味したのでしょう。大学だって同じです。学力水準がどんどん下がっていくなかで「学力の低い学生は入れない」と宣言できるのは、それでも優秀な学生が競って入学を希望するような一部の大学のみです。社会の水準に合わせないでやっていけるにはそれなりの根拠や強みが必要です。その根拠をもっていない場合は、リスクを負いながらもそれを追求するか、相手の水準に合わせてやっていくか、どちらかしかないわけで、破綻した場合のリスクが大きい割に活力がないような組織は当然後者、相手の水準に合わせる方向に流れていくことになります。

没落社会にリンクするよりもリスクを負ってでも社会に合わせない独自の方向性を模索をしたほうが、新しい時代を視野に入れた場合、よほど社会につながっていくことになると思うのですが、そのためには、各人による自問と自己責任による模索が当然の条件になるわけです。

ところが実際にはこうしたスタンスは全然広がりません。制度的なバックアップが乏しいということもあるのでしょうけれど、むしろそれ以前に、日本社会を支配している常識というか文化によるところが大きいのではないでしょうか。つまり社会というものは、さまざまな独自のアプローチとチャレンジが織りなすものではなく、個々人が自問や自己責任にもとづく追求などをしなくても何かに属していれば大過なく安寧に生きていける平穏状態を維持しているものを指すのだ、そういうものが社会なのだという感覚が根底にあるのではないでしょうか。

多くの人が就職にこだわるのは何かをやりたいがためではなく、どこかの組織に属しているかぎりは生きるなかでの自問と自己責任から解放されると思っているからではないでしょうか。無職の人間を危険視する風潮の背後には、問題を起こせば所属による安寧を奪うぞという威嚇によるコントロールがもっとも効果的なのだという意識が働いているのではないでしょうか。自問と自己責任によるアプローチを促進するためにはベーシック・インカムのような制度の有効性を検討する必要があるという意見がありますけれど、実効性や運用面での問題よりはるか手前で、こうした考え方は激しい拒否反応に直面するのではないかと思います。そんなの社会じゃない！　というわけです。

一般的な良識にとってたしかにそれは二重の意味でそうなのです。各人の自問や自己責任が社会の要件ではないうえに、そうしたものを実質免除されるかわりに組織に従属するという状態が安定した社会の姿なのです。そういう意味では元々公教育における学内秩序と似た発想のような気がします。

でも、いま破滅の傾向を強めているのは、まさにこういう疑似学校的社会像なのではないかと思います。「致命的に自主性を欠いた依存的な生徒」と「モンスターペアレントのクレーマー」と「お客様商売根性が定着してしまった学校当局」という三者が三者三様に責任のロンダリングをくりかえしながら環境を劣悪化させていくという構図、これはまさに現代社会の縮図であり、企業が学校化していることからも予想されるように、これからの社会全体の将来像になろうとしているのです。

「責任のロンダリング」が蔓延している現象は、それが「学校化」であるかどうかは別として、中央政府組織にまで現れているわけで、最近の事例で言えば、オリンピックの新国立競技場の問題、エンブレムの問題などはそれを象徴したものだったと思います。[*] 企業においてはコンプライアンスと第三者委員会というのが、ロンダリングの装置になっています。

＊ オリンピックの新国立競技場の問題とは、二〇一二年一一月に採用が決定されたザハ・ハディド氏の新国立競技場のデザインが、工費や建設方法などの難点から一五年七月になって白紙撤回された不手際。エンブレムの問題とは、一五年七月に大会組織委員会が公表した佐野研二郎氏デザインのエンブレムがベルギーのリエージュ劇場のロゴと酷似していることが明らかになり撤回された不手際。それぞれ決定過程についての説明責任

が果たされず、責任が明確にされない不明朗な運営が明らかになりました[1]

この変動の時代を幕末に喩えるならば、必要であり有効であるのは中央の幕府政治の改革よりも各藩が独自に行う藩政改革のほうなのだと思います。幕府の無能を批判したり現実味のない攘夷を叫んだりしてハイテンションになっている場合じゃないんです。小藩であっても自前の力で強く生き残る方法を模索すべきなんです。その努力を通じて培われた気概とノウハウはむしろ新しい時代が始まってから存在意義を発揮するようになります。

全国政治を選挙で変えるより前に、僕らの生活空間で小さな自己統治を創り出したほうがいい。全国的な勢力を集めるより前に、自分たちで自分たちの問題を解決できる実力を鍛錬したほうがいい。だから、どんなジャンルでもいいので、自分の探求、自問と模索の過程をネットなどで公開していったほうがいい。優れた人間ほど自分の探求の参考にするうえでジャンルの違いを問題にしません。「閉じながら開く」時代において発信者に求められるのは、固有のアプローチを普遍的なコンテクストに鋳直してから公論として大衆に提示することではなく、固有のアプローチをそのまま発信することなのだろうと思います。そうしたほうが情報と真摯さが保存されるんです。そして、受信者に求められるのは、みずからも固有のアプローチをしていること、まったく異なる他者のアプローチのなかに自己のアプローチに寄与するヒントを見つけ出すことだと思います。

ワーク・ライフ・バランスではなくワーク・イズ・ライフ

近代の産業では生産性を高めるために頭脳と手先を分離して分業させるという方法がずっととられてきて、そのそれぞれをキャピタル（資本）とレーバー（労働）がになっていたわけです。しかし、現代における資本と労働はもはや頭脳でもなければ手先でもなくなってきているのではないかという気がします。

頭脳特有の知性、手先特有の知性などもはや望むべくもなく、両者とも金と物を動かす巨大システムの中で課されるマストの中で動かされているだけのように見えてしまいます。どちらを見てもワークというものが感じられない。人間の意志や知性にもとづくアプローチと現実世界がフィードバックしながら新たな有機的結合を形成していく光景が、その場においては各人が各人なりのかたちで主人公であるような場面が、巨大システムにおいてはどこにも存在しない。そういうところで人と物と金がどんどん動いていく世界――それが「社会」と呼ばれているときに感じる違和感は、逆にワークこそが本当の社会の中核であり基礎なんだということを示唆している気がします。

そういう意味でのワーカーの社会を個別につくっていこうとするところにしか、自由への脱出の途はないのではないか。そのためには、個々人が、自分の仕事の場で、苦役である labor をどうのりこえて、喜びである work を見つけ出していくか、そのうえで、そういう work をともにする仲間をどうつくりだしていくかが問われているのだと思います。

「やりたいことを仕事に」とか「仕事に生きがいを」というスローガンが唱えられたりしています。だが、それらはたいていの場合、世間知らずな絵空事だったり、巧妙な労務管理の技術だったりするのです。ところが最近は平成建設や平和酒造の例を見てもわかるように、けっして絵空事ではなく、労務管理でもなく、きわめて主体的に動いてそのための環境を周辺に形成していくような取り組みが目につくようになってきました。そして、ここで注意すべきなのは、彼らの考えるワークがいわゆる「ワーク・ライフ・バランス」などで説かれるワークとは意味が違うということなのです。

アメリカの雑誌『フォーブズ』の「二〇一五年、一五のトレンド予測」のなかで、この「ワーク・ライフ・バランス」をさらに進めたWellth（ウェルス）というトレンドがあげられていました。[*] でも、これもやはり「ワーク・ライフ・バランス」の域を出ていません。このワーク・ライフ・バランスという考え方は、ワークとライフを対置させてバランスをとる必要性を説くもので、結局はライフは自由な生活、ワークは苦役としての労働だとする前提に立っています。これはヨーロッパ世界の伝統的労働観なのです。

＊『日本経済新聞』二〇一五年一月一日朝刊「二〇一五年、一五のトレンド予測」の記事を参照してください。

ヨーロッパ近代の資本主義・社会主義共通の「勤労倫理」はそこに立っているのです。ヨーロッパでは労働を苦役とし仕事を快楽として区別する労働観・仕事観が伝統的に根強くて、それを前提にした上で勤労倫理を説く傾きがあるのです。これは一つはユダヤ＝キリスト教、もう一つには古代ギリシア思想の、それぞれ違った観点からの伝統なのです。

ところが日本では、伝統的にそうではなかった。むしろ、労働と仕事を区別せず、労働＝仕事が喜びでもあり遊びでもあるという労働観・仕事観が強かったのです。それが近代になっても根強く残っていて、労働においては、「仕事の相手」に「つきあいにくいが能力のすぐれた人」より「能力は落ちるが人柄のよい人」を選ぶ人が七〇％を超えているという意識調査の結果も出ています。西洋の技術が道具や機械を新しく「作る」技術であるのに対して、日本の技術の真骨頂は、既存の道具や機械を「組み合わせて使う」技術にあるというのも、労働と楽しみ、仕事と遊びが相互浸透しているからなのだという面があります。

日本社会において近代的な「神聖な苦役」という労働観を超克するには、日本の伝統的な労働観・仕事観にもどることが一つの契機になるのではないかと思います。平成建設や平和酒造の労働観・仕事観は、その可能性を示唆しているのではないでしょうか。

平和酒造の山本典正さんは、この「ライフとワークのバランス」に関して実にうまいことを言っていて、結局それは「刑務所のなかで運動会の数を増やしましょう」といっているのと同じじゃないかというのです。彼の見方のほうが正しいと思います。ちなみに彼は、仕事がデキる人は二四時間仕事のことを考えているものだという趣旨のことを言っていますが、これこそが本当のワークの観念です。二四時間仕事のことを考えているというのは勤勉でも社畜でもなく、あたかも芸術家がつねに創作のことを考えているのと同じことなのです。

何かを作るため、何かを変えるために能動的に頭と手を働かせることが楽しいという感覚は人間にとって根源的なものなのに、ライフの重要性を説くワーク・ライフ・バランスにはそういう受け止め方が感じられません。あるとすればそれはワークではなく娯楽だというでしょう。ワークの内実が賃金を得るための必要悪ならば、ライフの内実は苦役によって失われたものを補うための娯楽や憂さ晴らしに過ぎず、それは山本さんがいうように刑務所内での拘束と運動会の関係と同じになってしまう。労働での疎外をとりもどせるだけの余暇というのがワーク・ライフ・バランスということになってしまうのでは、労働自体の隷属性は残されたままなのです。

能動的な働きかけが楽しみとなるような意味でのワークが追求できないと、結局は刑務所内での「(不自由な)拘束・(自由な)運動会・バランス」のリアリティ、つまりワークが拘束であり、ライフが運動会であるという観念にもとづくバランス感覚しかもてないということになります。

彼らにとっては賃金に依存しなくても生きていけるようになったら当然誰も働かなくなるから、刑務所は毎日のように所内で運動会ばかりしている状態になる。だから「そんなのおかしいじゃないか!」っていうことになるんです。確かにおかしいです。刑務所なのに拘束時間がなくて、毎日運動会ばかりしていて、それでもそこはあくまで刑務所で、その証拠に運動会自体は刑務所が主催するもので……この滑稽さはかなり今日の社会の本質をついているように思われますけれど、でもそれ以上にもっと滑稽なのは、「賃金労働を否定したら社会はおかしくなってしまう」と主張する人がこのテーマで話を進めていくといつの間にか「だって社会は刑務所と同じなんだから」という思いもよらぬ結論にたどり着きかねないというところなんです。

冗談の通じない人にこうした話をすると「詭弁だ!」と言って本気で怒るので、やめたほうがいいですが、この詭弁の冗談は冗談抜きでかなり重要な本質を示唆していると思います。この問題はミシェル・フーコーの『監獄の誕生』やジャン・ボードリヤールの『象徴交換と死』なんかと絡めて考えていったら面白いテーマになるかもしれません。

ですから、「ワーク・ライフ・バランス」じゃなくて、「ワーク・イズ・ライフ」だということなのです。こうやって見てくると、労働と資本が離れたがりながら、やっぱりむしろ労働のほうが離れられないという傾向があらわれているような気がします。だから、既存の労働観をのりこえることが必要になっているのだと思います。

そういうふうに考えてみると、今日の社会では賃金労働と消費とが常にワンセットで、それにワークという観念が対置されているのだなというのがよくわかります。労働を減らして消費生活の満喫分を増やしていこうというのは、どれだけそれで消費的自由が拡充しようともワークの可能性が広がらないようになっているのです。みずから試行錯誤しながら何かを実現していく楽しさは結局労働にも消費にもないからです。「金のために誰かに従う時間」と「金の力で誰かに楽しませてもらう時間」のどちらが優勢になろうが、自主性や創造性に変化はありません。いま可能性を模索すべきなのは労働と消費をそのままワークに引き付けて変えていく方向性でしょう。「ワーク・イズ・ライフ」の方向性です。

楽園のパラドックスをのりこえる自由への途

ここで、ワーク・イズ・ライフにゆくために、どうやってレーバーをのりこえていくのかという問題があるわけです。この「レーバーとワークの区別と連関」という問題、それを前提にした

「レーバーからワークへ」の移行という問題を考えてみたいと思います。

そのためには「遊ぶ」「学ぶ」「働く」という三つの営み、それぞれが別で、遊ぶときには勉強なんかしないし、働いてもいない、働くことは学ぶことでもないし、ましてや遊びであるはずがないというのが一般的なとらえかただ思いますが、これらを常にセットとして考えることが大事なのではないかと思います。セットというよりも、より正確に表現すれば、その三つはもちろん別のものではありますが、究極的には同じところに帰着する、同じ建物の別の入り口のようなものとして見ることができるのです。この三位一体的関係は大昔から人間にとってもっとも大切な基層をなすものなんですが、近代的な労働の観念においてはそれらはバラバラにされて、紐帯を失ったことによっていびつな奇形になってしまって、しかも本来性を失ったバラバラの奇形態になった上で相互に対立しながら前提しあうような、まるで共依存*みたいな構造を築いているのです。

* 共依存 co-dependency とは、前にも注記しましたが、臨床心理学用語で、自分に依存している相手に対して、相手が依存してくることに自分の存在価値を見出すことを通じて自分の方も依存してしまい、相互にコントロールし合うようになる関係をいいます。アルコール依存症の患者とその患者を世話したり介護したりする家族との間に見られたりします。

その中心はやはり「働く」ことの堕罪で、自主性と創造性という「遊び」の要素、経験を通じて実力を培うという「学び」の要素、そして「遊び」でもあり「学び」でもある「働き」に専心することで環境におけるみずからの意義を確立していくという社会に対する直接的な寄与性の要素、そうした要素を失った「労働」labor という観念が社会を規定するようになったことにあると思います。

「労働」になってしまった「働き」は賃金を得るための必要悪の苦役になってしまいます。そして「遊び」は苦役を強制される日常の束の間の憂さ晴らしの消費生活になってしまいます。それは労働に対する反動から生まれるもので、「学び」の要素をもたないわけです。「学び」は社会に労働者を供給するために労働の予行演習としての勉強になってしまいます。「勉強」という言葉の原義は「強制」です。中国語では「勉強」という言葉はいまだに「無理強い」という意味で使われています。「学び」というのはそういう強制としての勉強を体験させる公教育のことになってしまうわけです。

前にもいったように、資本主義はまだなくならないと思うけれど、近代資本主義はのりこえることができると思います。そののりこえが新しい資本主義になるのか、それともちがう枠組の経済になるのかはいまのところわかりませんけれど。しかし、はっきりしているのは、そののりこえが資本を規制することを通じてもたらされるのではなく、労働を消滅させることを通じてであるということです。労働を本来の「働き」に、「遊び」「学び」と一体である「働き」にもどすことを通じて、苦役としての労働を消滅させるのです。これについては、いろいろ反論もあるだろうし、検討しなければならない問題も多いのだけど、そう思っているわけです。

これは、かつてソースタイン・ヴェブレンやウイリアム・モリスが指し示した途につらなるものです。いまテクノロジーの発達を通じて労働がＩＴやＡＩによって代替されていく事態を、人間の営為において積極的にとらえて、labor である労働を work である仕事に置き換えていく過程と結びつけて、この途を追求していこうということです。それは、前にいったロバートソンの未来の仕事の三類型でいえば、逆奴隷制が labor 軽減に対する消極的対応であるのに対して積極的対応であるところの self-employment すなわち自己雇用の途です。そして、そういう道を選択してこそ、「人間は労苦から解放されることはできるけれど、労働が必要なくなってくれば賃金がもらえなくなるから、物資は豊かなのにそれを手に入れることができない」という楽園のパラドックスをのりこえることができるのだと思います。

そのことに関連して、ソースタイン・ヴェブレンが人間の本能的性癖であるとした「制作者本能」と「親性性向」と「無為の好奇心」のことを考えてみたいと思います。

ヴェブレンは人間に行動を起こさせる主要な要因は「本能的性癖」と呼ばれるものの促しにあると考えたのです。動物は本能で行動を起こすけれど、人間は知性と自由があたえられているので、動物のように本能が直接に行動を導き出しているわけではなくて、こうすべきだという本能的な促しをみずから拒むことができる。そういう意味での自由がある。しかし、拒もうとしたときにも「従わなければならない」という感情はつねに湧いてくる。この感情をヴェブレンは「本能的性癖」instinct proclivity と名づけました。これが人間の自由を内側から方向づける根本条件なのです。

そして、「本能的性癖」のうちで重視したのが、「制作者本能」と「親性性向」と「無為の好奇心」の三つだったわけです。「無為の好奇心」というのは、idle curiosity ということで、目的意識に即した関心ではなくて無意識のままに対象に対する関心や興味を注いでいる状態のことで、リベラル・アーツの考え方につながるものです。「親性性向」というのは、parental bent の訳で、簡単にいうと親が子を思う気持ちのようなもので、みずからの行動を次世代の存続、類の発展のために役立つものにしていこうとする性向のことで、同胞愛や相互扶助の基にある態度がここから出てくるとされています。そして、ヴェブレンがいちばん重視しているのが「制作者本能」instinct of workmanship で、職人や芸術家の仕事感覚や仕事気質に近いものを指しているように思われます。ただ、職人・芸術家特有の職人技・芸術家気質ではなくて、普通の人であっても、およそものをつくる者には共通にもたれているはずの「ものづくり」精神のもとのようなもののことをいっているのです。[*]

＊「本能的性癖」としての「制作者本能」「親性性向」「無為の好奇心」については、ソースタイン・ヴェブレン『制作者本能と産業社会状態』(Thorstein Weblen : *The Instinct of Workmanship and the State of the Industrial Arts*) によるものです。前掲・『自治社会の原像』pp.85~90，pp.149~150 にその内容が略述されています。

その三要件をすべて破綻させようとしているのがいまの公認社会なのではないでしょうか。その結果生じる破滅的な傾向は近年どんどん現実化していっているので、当然政府も対応策を示さざるをえなくなっています。しかし、そこに打ち出されてくるものは、結局は、「制作者本能なき生産性の向上」、「親性性向なき出生率の向上」、「無為の好奇心なき学力レヴェルの向上」にすぎないような気がします。どれも本質を見ようとしないままにもっぱら指標の改善のみをめざしていますが、この指標たるや、すべて三要件を死滅に追いやった成長依存型社会の指標にほかならないのです。安倍内閣が打ち出した新しい経済政策の「新三本の矢」なんかは、まさしくそういう感じでした。GDP六〇〇兆円、希望出生率一・八、介護離職率〇で戦後最大の経済をっていうんですから。

努力や発展が志向されること自体はまちがいではありませんが、それは外的で客観的な共通善の増大に向かうようなものではなくて、内的な充溢や環境との間に良いサイクルを生んでいくような努力と発展こそが必要とされるのです。年収やらGDPやら巨視的で具体的な固有性を度外視したような指標は、何らかの力や善を示すものとしては、今後どんどん意味を失っていくのではないかと思います。実際、いまでももう、そうした指標を見て暮らしを評価しようというような人は少なくなっています。

だから、こうした取り組みにどれだけ巨額の資金が投入されることになっても、それには何の期待もできません。オリンピックを開催すれば国民が盛り上がると勘違いしている人たちと同様、アナクロな体質と状況に対する無理解を見せつけながら、浪費を続け、人々の失望感を深めるだけでしょう。期待できるのは平成建設、平和酒造のような固有領域内での充溢を志向する小さいがしなやかで強いアプローチです。「遊び」「学び」「働き」の三位一体を体現するこうした営みが、各地で分散的にひとりひとりの周辺において、ヴェブレンのいう人間活動の三要件を復活させていくことにしか可能性はないと思っています。

もちろんその過程で末期症状の従来社会はさらに多くの浮動的な人やカネを巻き込んで巨大化していくでしょうが、それは、なんというか、水ぶくれの巨大さ、弱さの寄り集まった強さでしかありません。巨大だけど中がスカスカで、ものすごく低レヴェルな次元のネックが原因でトラブルが続発し、いざバランスを崩したら、自分の巨大さと鈍重さのためにバランスを回復できずに、どんどん崩壊していってしまう。そういうことが起こりうると思うのです。しかもそれは中央の巨大組織や巨大プロジェクトでいちばん起こりやすいのです。その兆候はすでに見られています。

もちろん、大きな混乱はできるだけ避けなければならないけれど、みんなが真剣に対処しなくてはならない事態にはかならずなります。そのときには、実在社会をみずからのものとしてもっている人間しか、そこで生き残れないのではないかと思われます。

その実在社会というのは、ごくささやかなものだっていいんです。いっしょに生活してる家族・隣人、いっしょに働いている仲間、それだけでもいいんです。だけど、家族の場や地域の場、仕事の場が自分のなかで別々の志向で営まれているのではなくて、同じ生きる目的のもとにつながっていなければならない。それさえあればいいのです。

そして、いま進んでいる事態に対して、その方向性を看て取る目を開いていれば、ああ、これがそれだな、ここが分かれ道だな、と感じ取れるときがあると思うのです。そこで選択をする。そういう岐路が、ひとりひとりにとってかならずやってくると思います。この五年くらいのうちに[*]。それが、自由をみずからのものにすることができるか、われらのものにすることができるかを、それぞれの個人において決めます。僕らはそう思っています。

いまそこにある自由をつかもう。

＊　この「五年くらいのうちに」ということが『単独者通信』の対談で語られたのは、二〇一五年一〇月のことでした。「楽園のパラドックスは超えられるか」PART 6を参照してください。http://neuemittelalter.blog.fc2.com/blog-entry-78.html

もうその五年が過ぎてしまいましたが、さて、はたして……

終章

ポスト・コロナ社会の自由

旧い民主主義の終わりと新しい自由の始まり

コロナ禍を通過することによって社会にはさまざまな変化が見られていますが、自由をめぐる問題状況はどう変わったのでしょうか。コロナ・パンデミックの渦中で書かれた『大分断』のなかでエマニュエル・トッドは、「コロナ以後（ポスト・コロナ）について、私は『何も変わらないが、物事は加速し、悪化する』という考えです」とのべていました。[*] この本に収録した僕らが五年前まで自由について考えていたことも、なんら修正する必要はなくて、ただスピードが速くなっただけのような気がします。トッドが「悪化する」と言っているように、こんなことやっていてはだめだと思っていたものが没落し自滅していくことも、コロナ禍のもとでの対応を通じてはっきりしてきました。

＊ エマニュエル・トッド［大野舞訳］『大分断』（ＰＨＰ研究所、二〇二〇年）p.8

民主主義は自己更新をすることで新しい状況にも対応できるように設計されていますが、その設計そのものが一つの暗黙の世界観を前提にしていて、今はその世界観がテクノロジーの進化と自然環境の変化などの新しい問題によって揺らいでいる。いまの民主主義というのは、どうやら、いま直面しているような関係のなかで自己更新をすることはできないものになってしまっているらしいということに、多くの人たちが気がついてきている。だから、特定政党を支持しない人、投票に行かない人がこんなにも多くなっているのです。

それは、コロナ禍のもとでオリンピックをどうするのかという問題に民主主義が対応できないという事実によって、わかりやすく示されたわけです。国民の約八〇%がオリンピックは中止ないし延期したほうがいいという意見をもっているという現実に対して、民主主義の機能が働いているなら、それが通るはずなのに、そうはならない。国会や地方議会、オリンピックに関する委員会といった民主主義の機構はちゃんと働いているのに、そうはならない。主権者の意思が民主主義機構に反映されていないということです。それは、民意によるオリンピック中止という決定によって起こる損害や打撃を民主主義機構が引き受けることができないからです。

機構が複雑になってシステム化が進むことで、間接民主主義である今日の民主主義の決定と直接的な民意との乖離が非常に大きくなっている。主権者である国民は、こうしたいという意思表示はできても、そうした場合にそれに付随して起こる問題に対してどう対処するのかという責任を負うことは求められないし、求められてもそれに応えることはできないしくみになっている。それに対して、決定する機構には、その責任が負わされているし、むしろその責任が決定と同じ、あるいはそれ以上の重みをもっている。けれど、それを主権者に返して問うことはしなくていい。そうすると、決定する側は、オリンピックを中止する決定をした場合、各方面への大きな影響に対する事後の処理をどうするのかということを先に考えるわけです。

これをどうするか。政治というものをめぐる状況がかつてと変わってきて、そのせいでメインポリティクスである議会制民主主義の処理能力が落ちているのです。社会の構成員も、選挙のときに議員を選ぶだけで、あとは文句を言ってればいいというのじゃだめだ。議員も、自分でもよくわからない問題を討論を通じて深めて議会の総意をまとめるというのではなくて、党の決定に従って行動していればいいというのじゃだめだ。起こってきている問題に応じて、当事者と専門家が熟議して、その問題の範囲に応じた決定をしていくというサブポリティクスが活かされないと解決ができなくなってきている。そういう性格の問題が今後さらに次々と起こってきて、逼迫のスピードを速めていくだろうと思われます。

クライシスとイノベーション

コロナを通じて日常生活も変化したけれど、これまでなんとなく、こんなの無意味だなぁ、こんなことやっててもしょうがないんじゃないかって、うすうす思ってたことが、ほんとにそうなんだってわかったわけです。わかるきっかけにコロナがなったわけです。

毎日朝早くから満員電車に乗って会社に行って、いまやるべき仕事があろうがなかろうが、九時から五時まで会社にいて、いわれたとおりにしていれば定額の給与がもらえるという日常も、コロナで在宅勤務やリモートワークが実施されて、そんなことしなくてもいいんだということになる半面、独りでもちゃんと仕事ができないと働いたことにならないということにもなってきた。そもそも、コロナと無関係に、いまやもう多くの業種で拘束時間で給与を計る意味がなくなってきていたのです。

そこでは、会社じゃなくて、仕事が問題なんです。会社にいればいいんじゃなくて、どこにいてもいいから仕事をちゃんとしなくちゃいけない、ちゃんとできなくちゃいけない。実は、もともとから会社じゃなくて仕事が中心なんです。その当たり前の方向を阻んでいた「会社中心」の考え方の障壁がコロナで崩れちゃって、その方向へ進むスピードが速まったわけです。[*]

＊　日本経済新聞社がまとめた二〇二一年の「スマートワーク経営調査」によると、在宅勤務やウェブ会議など新型コロナウィルス下で本格導入した働き方を「常時運用したい」とする企業が八割に達し、副業を解禁した企業も四割を超えており、柔軟な働き方が広がり定着してきたことがわかります。(「在宅など恒久化8割　日経調査、働き方改革上位にソニー」『日本経済新聞』二〇二一年一一月四日) https://www.nikkei.com/article/DGXZQOUC2041C0Q1A021C2000000/

そうなってくれば、こんなに広いオフィスを高いカネ出して借りてることないじゃないか、さらには会社が東京になくてもいいじゃないかということになる。ワーケーションなんていうことも広まってくるし、企業の地方移転もおこなわれるようになった。

ＩＴ・ＡＩ導入が進むなかで、日本でもようやく企業マネジメントにおけるＣＸ（corporate transformation 企業変革）が進みはじめていたところだった。そこにコロナの大流行が起こった。それで、コロナに対する対応策とＣＸの推進が重なって、企業のアーキテクチャの転換、組織の転換が起こっているんです。ＣＸというのは破壊的なクライシスに対して破壊的なイノベーションによって対応するところに生じるものだといわれていますけど、だからコロナという破壊的クライシスはＣＸという破壊的イノベーションの恰好のチャンスになったのではないでしょうか。コロナによって加速された組織の破壊的イノベーションが、これからいろいろなところに波及していくと思います。これまでそれでまわってきたルーティンを根本から変えちゃったら組織が崩壊しちゃうとみんながなんとなく思っていたんだけど、いざそうなってみたら、そんなことはないってことが明らかになった。崩壊しないどころか、こっちのほうがいいじゃないかということにもなってきたわけです。

全体システムによる自由より個々のイニシアティヴによる自由を

在宅勤務やリモートワークがまさにそうなのだけど、必要に迫られて実際にやらざるをえないからやってみる、というところから始まったわけです。そういう契機が大事だと思うんです。この契機がクライシスをイノベーションに転化するんです。やらざるをえなくなってやってみたら、あれっ、できるじゃないか。それなら、ほかのこともいろいろやってみたらどうか、ということになる。それぞれの場で、そこなりのやりかたでやってみた結果どうなったかという検証ができる。そこからやりかたがわかってくる。

最初から全体システムをどうするかと考えるよりも、個々のイニシアティヴで個々の場に応じて考えてやってみて、その集積でシステムを変えていったほうがいいんです。まったく新しい現実問題を従来型のシステム内の問題として構成しようとすると、構成自体はどんなにうまくいっても本質的に的外れなものになってしまう。システムと官僚機構がちゃんと機能していても、この根本的な的外れは修正されません。それを現場から自由にやってみること、やってみることができるようにすること、その自由がいま大事なんです。

文明レヴェルの危機を前にして、いま必要とされている自由というのは、そういう個々のイニシアティヴでやってみる自由なんです。既存のシステムを守ったうえで、そのシステムのなかで選択的に自由にふるまえる自由だけでは、いま直面している深い危機には対処できないからです。

人格的従属に縛られない自立した私的所有者が対等の自由な契約によって平等な社会関係を営んでいるというのが市民社会の理念です。しかし、いまそんなものは実質においてどこにも存在していない。前にのべたように、「社会権」の名のもとに、かろうじて「国家による自由」が形式において保障されているにすぎないのです。実質においては、大衆消費社会が市民社会といわれるものを飲み込んでしまっていて、その大衆消費社会のことを「市民社会」と呼んでいるだけなのです。そして、その「国家による自由」を提示している国家とは「国家からの自由」にもとづいて自立している市民が構成しているものじゃなくて、「国家による自由」に依存している大衆からなる大衆民主主義にもとづく国家なんです。

そこでの自由というのは、国家や市場が用意してくれた選択肢のなかからどれを選んでも自由ですよ、ということでしかない。その場合の自由というのは既製品的な選択肢がちゃんと選択可能な形で複数用意されている状態を言っているにすぎない。こうした用意された選択肢との関係にすぎない自由がどんなに拡大されても、新しい現実問題とのフィードバックを個々に模索していく動きにはつながらないんです。そういう自由によっては、いまのような状況では、ますます国家に依存していくだけで、さらにはそうした大衆民主主義国家への依存が大衆消費社会への埋没へと導かれていって、いつまで経っても、その循環から脱け出すことができないんです。

内的自由と外的自由、固有の自由と共通の自由

僕たちが問題にしている「自由」というのは、いわば個々の人間が自分固有の「実力」（real ability）を発揮するということ、発揮しうるような状態を自分のものにするということなんだと思います。そういう自由がいま必要なんです。なぜかというと、いま社会の根本を問い直さないといけないときにきているからです。社会の根本を問い直すということは、自己の存立の根本に立ち帰らなければできないのです。自分がこういうふうな者としてあるということと直接向き合って、そこから考え、行動するということが自由の出発点なんです。そして、そこでそれぞれの個人がそれぞれ自分の「実力」を見出すことが必要なのです。この場合の実力とは、評価基準が外部にあるような、例えば「全国模試で一位」とかいうことではなくて、自分自身に根拠をもった「固有の力」、「根のある力」といったようなもののことです。

そのときの自由というのは、制度的な保障による自由や選択の自由というような受け身の消極的自由じゃないんです。そういう受け身の消極的自由というのは、自前で根本的な所を模索してみるということがなくて、多かれ少なかれ基本的なところで共有されている価値の基盤の上でどっちがいいかってことになっている。そういう自由は、その共有された基本的な価値の基盤というものの自体が問われなければならないときには、意味がなくなってしまうわけです。政治的な集合力として国家というシステムに吸い上げられてしまった個人の「固有の力」*を社会の場にとりもどすことに

よって、現実の個別的な人間の自由が獲得されるのだと思います。

＊この「固有の力」とは、ルソーが『社会契約論』で言っている「固有の力（forces propres）」（〔桑原武夫・前川貞治郎訳〕『社会契約論』、岩波文庫、pp.62~63）のことであり、またマルクスが「ユダヤ人問題によせて」で言っている「固有の力」（『マルクス・エンゲルス全集』第一巻 p.407）のことでもあります。

そして、「私はこれを実現したい」という自由は積極的かつ具体的ですが、「私が何をなすべきかを決められるものなんていない」という自由は消極的かつ抽象的です。前者は各自性（Jemeinigkeit）の自由で、自由の根拠が各個人の内にある、固有の自由、内的自由であるのに対し、後者は共通性（Gemeinsamkeit）の自由で、自由の根拠が各個人の外の共通の基盤にあるわけですから、共有される自由、外から許された自由ということになります。

そして、外から許された自由は、実力をもった自由じゃない。実力なしに万人に共有された地平で享受される自由なのです。実力をもった自由は、内的に固有な根拠と指向性をもったものだから、万人に共有された地平にのらない。共有された価値の基盤の上で流通させることができないで、その地平でおこなわれている外的な自由の流通をむしろ阻害する。つまり、外的な自由にとっては邪魔者にされるんですね。しかし、いまは社会の根本が、みんなが共有された基盤だと思い込んでいるものを含めて問い直さなければいけない局面にきているから、内的な自由こそが必要とされているんです。

「共通の基盤に立たない者はわかり合えない」というのが今までの社会の暗黙の前提でしたが、今はむしろそのような形で約束された相互理解の社会が不活性化してしまっているのです。そして、むしろ今は異なる固有の基盤を持つ者同士が、自己の固有性を通じて直観的に「こいつは全然違うことをやっているが、自分と同じところがある！」という形で相手を理解する関係性が活性化してきています。共通の基盤を離れて、自分の実力で固有の自由を拓いている人たちが、やっていることはそれぞれ別個でありながら、結びつくことができるようになってきているんです。

「ベースの部分が共有されているからコミュニケーションが促進される」というのが従来のモデルでしたが、まさにこのモデルがどんどんダメになってきて、それに代わって、それぞれに固有性をもつものが共通の基盤を媒介とせずに多中心のまま直接的に水平的に結び付くモデルが自生し活性化しつつあります。いまモノもコトも、コミュニケーションも流通も、かつてのようにいったん中央に集中してから各自に伝わっていく1：Nじゃなくて、各自と各自が直接やり取りするN：Nへと大きく変わってきているわけです。ですから、いまだに1：Nの名残を残している集権的なシステムは老化現象を起こしてうまく働かなくなっている。その傾向をIT化の進展がどんどん促進しているわけです。

そういうなかで、いま意欲も能力もある若者、こういうことがやりたいし、自分でできるという若者が、日本でも、中央官庁や大企業には行かないで、地方の小企業や山奥の工房に行っちゃったりするという動きが起こっている。* そういうところのほうが、小さくはあっても、情報・才能・バイタリティが集まってくる中心になっているからなんですよ。活性化して無媒介的に動ける小さな中心というのはみずからのヴィジョンを模索しつつ実現していくときに非常にスピーディーで、しかも資金をあまり必要としない。これが何か新しいことをやってみたい若い才能にとっては非常に大きな魅力になっていると思います。

＊ 最近中央官庁の二〇代のキャリア官僚の退職が増えて昨年が六年前の四倍になっており、辞めたいという三〇歳未満のキャリアは男で一五％いるということです（「中央官庁二〇代キャリア八七人が自己都合退職　六年前の四倍増」、『毎日新聞』二〇二〇年一一月一九日）。また、大企業の子会社だとわかると優秀な若者が寄りつかないので社名から親会社の名前を外すところも現れています（「日本の若者たち、いよいよ「大企業離れ」が止まらなくなってきた…！」https://gendai.ismedia.jp/articles/-/69098）。

高等生物型システムの不全

こうした現象について、下等生物と高等生物それぞれの単純性と複雑性を比喩的に見てみるとよくわかるのじゃないかと思います。

下等生物と言われているアメーバのような単細胞の原生生物は、感覚器官・運動器官・消化器官などの働きを状況に応じて一個の細胞でおこなっているわけです。これが下等生物の単純性と複雑性です。そこにあるのはたった一つの細胞であって、専門分化したものがシステムを形成しているわけではない。その意味では単純なんだけれど、それぞれが状況に応じていろいろなものになるという意味では複雑なんです。

これに対して、高等生物は、これとは逆に、各部分が機能分化していて、それぞれが単純な機能をになっている。そして、こうした各部分を統御しているシステムがこれらの単純機能を組み合わせて複雑な働きをさせているという関係なんです。そのとき、各部分は単純化していて、こういうときには必ずこうなるというふうでないといけないわけです。

今日の社会システムは、高等生物型になっているわけですが、このとき問題なのは、複雑性をになっているシステムが老化したり硬直化したりしてしまって、状況に対応したフィードバック能力を失っていくと、各部分は単純だから、システムの指令に従って働くだけなので、まったく的外れで馬鹿げた指令に対しても、それを愚直に履行して、全体として状況に対応できなくなるわけです。個々の部分は状況の複雑さに対応する機能をシステムに委譲してしまっているから、システムの指令が状況に即応していなくても、個々の部分はそれを修正することができない。今回のコロナワクチン接種の初期の場合のように、システムを担当している政府が作った設計が悪いと、個々の自治体は自分のところの状況をフィードバックすることができても、システムの指令に従っているかぎり、うまく対応できないということになってしまうわけです。末端がみずから固有の対応能力を発揮して問題を解決するという可能性は常に存在しますが、こうした解決はシステム内部でおこなわれるならば本質的に違法行為と背中合わせです。

いま高等生物型の複雑性と単純性の分業というのが悪い方向に働くようになってしまっているんです。これはコロナ以前からそうだったんだけど、コロナへの対応でそれがすっかり露呈され、加速されて、さまざまなトラブルを生んだわけで、それでわかりやすくなった。加速されたから、複雑性をになっている全体システムはどんどん大きくなりながら没落していくだろうし、わかりやすくなったから、個々の小さな部分が全体システムから自立して、みずからに関わる複雑性をみずからになって、ほかの自立した部分と協働してゆくという傾向が強まるだろうと思います。これからは、大きくなりながらつぶれてゆく方と、小さいままに分散化しながらどんどんつながってゆく方とが、同時進行でグラデーションをなしながら進んでゆくのではないでしょうか。

この方向で進んでいくときに必要なのは、いろいろな問題に自発的に取り組んでいる小さな集団があらゆる分野に存在するようになっていくことで、そうなれば、全体システムがになっていた複雑性をネットワークの複雑性で代替していけるようになるわけです。このあらゆる分野に自発的小集団が生まれていくのを促進するのが、僕らが言っているような意味での「自由」であるという関係になっているんだと思います。

過冷却の水のようになった社会

しかも、こうした高等生物型のシステムは、大衆消費社会の経済成長を維持し、大衆民主主義国家の合意調達を維持するうえで、そのシステムの本質に由来する非常な困難に直面していて、その危機回避のための裏技を駆使しているわけです。

たとえば、いまコロナ・パンデミックのなかで、各国は膨大な量の財政出動をしています。そうしないと国内経済が回らなくなっちゃいますから。ところが、これが各国連携しないで不均衡におこなわれると、どこかの通貨が暴落しちゃったり、どこかの財政が破綻しちゃったりして、しかもそれが連動したら世界金融危機になってしまいかねない。だから、そんなことが起こらないように、

G7だとかG20だとかで調整しながら、莫大な「前借り」を各国でしている。これはコロナのときに始まったわけじゃなくて、ずっと前、少なくとも一九七〇年代から、初めは紙幣増刷、次は国債濫発、あるいはサブプライム・ローンのときのような家計債務への転嫁と、手を変え品を変えやってきたことです。もし、これが金本位制の頃だったら、金という実物の裏付けがないわけだから、たちまち信用破綻につながっていったんだろうけど、いまは国家という信用に加えて、それを超えて主要国家合同の信用で債務を積み上げることが可能になっている。これが破綻するということは世界が破綻するということなんだから、信用せざるをえないということです。これは、ほんとうならもう死んでいる世界を実際に死なせないために際限のない「前借り」システムの回転で保たせているということです。

こうした状態のもとで満足させられる「制度的な保障による自由」や「選択の自由」なんて、なんの自由でもありません。それなのに、それが自由であり、政権はそれを保証しなければならないかのように、体制派も反体制派も考えるようになってしまっている。だいたい、その「前借り」は、金融から始まるわけですが、それが経済全体へ、そして経済から政治へ、政治から社会へ、社会から個人の心理へと波及していって、それにつれて深まっているわけです。すべてが未来の破綻に依存してしまっている。そして、みんなそれを知らないわけではなくて、知らないふりをしているうちに、麻痺してしまっているのです。だから、とりあえず破綻が起きないのはいいことなのではなくて、未来の破綻への依存がそれだけ深まったということなんです。そして、それが深まれば深まるほど、ますます社会の内臓が腐っていって、その腐敗が脳髄にまで達しようとしている。

「裏技を駆使すれば経済の指標上ではまだまだ大丈夫」という問題と「経済の仕組みが人間の頭をおかしくする」という問題は分けて考えるべきで、前者がいくら大丈夫でも後者の破綻が急激にやってくる可能性はあります。また、とっくに破綻しているはずなのに維持できている社会というのはある意味で過冷却の水、つまり0℃以下になっているのにまだ凍らずに水のままでいる状態のようなものなんです。だから、そこに何らかの小さな刺激が加わることで潜在していたものが一気に顕在化する可能性も考えられます。

ドストエフスキーの『未成年』にヴェロシーロフの予兆として、「ある日突然に完全な混乱状態におちいって、どの国もいっせいに、世界恐慌から立ち上がるために、支払い停止を宣言しようとする」という世界の終末の始まりが出てきます*が、過冷却の水の凍結現象というのはそんなイメージです。でも、それ以前に憂慮されるのは、破綻の時間稼ぎの間に、いまも起こっている社会と人間の腐敗がさらに進行して、ひとりひとりが精神を腐らせてしまうことです。

＊　ドストエフスキー『未成年』第二部第一章四。世界中の保守派が、自分たちは債権者だから、支払い停止に反対する。すると、「全般的酸化現象」が起こって、ユダヤ人が出てくる。……というふうに事態は進み、とうとう終末がやってくる――という予兆が語られています。「これが破綻すれば世界が破綻するということなのだから信用せざるをえない」という状況のもとで、その信用が崩れるときのイメージがここに表現されています。

大破綻が来る前に、その引き延ばし、時間稼ぎの方策によって、内からどんどん腐っていっていることが問題なのです。そこから個人がどう目覚めるかが問題なのです。社会問題を考えるというのは、「少子化問題をどう考えるか」とか「LGBT問題をどう考えるか」とか、既存の問題設定をインストールするだけのやりかたじゃなくて、自分が立っている場において、その条件を自分に引き受けて、自分が自分のなかで求めていく価値を見出していこうとすることなんであって、それが自由ということなんです。自分自身の生き方として、この世界のありさまを引き受けること、そこから出てくる自由なアプローチこそが必要なんです。それがあれば、腐敗に巻き込まれて腐っていくことはなくなります。

この社会はもう死んでいるのに、パソコンゲームの裏技みたいな手段で生きているかのように見せかけているんです。その「裏技」が「前借り」なんです。経済成長を続けないとこの社会が破綻してしまうというので、そのためにさまざまな手段で未来から前借りを続けてきたわけです。その結果、それで経済の方はなんとかもってきたんだけど、社会の実質、人間の精神がどんどん腐ってきてしまった。もうとっくに死んでいる社会が、腐ったまま形だけ存続している。

「若者が未来に希望をもてないでいる」とか言いますけれど、未来は現在の破綻を表面上補填するためにすでにかなり先まで前借りしてしまったので、その結果、近未来は我々がそこに到着する前にすでに現在の犠牲となって破綻しています。そんな未来の食い潰しをする一方で、いまここにある現在に対しては、すでに確定している未来の破綻、たとえば温暖化による破綻、少子化による破綻だとか、そういう危機を適宜に持ち出すことでコントロールがなされています。そこにあるのは対立する正反対の戦略の相克ではなく、前借りして破綻させながら今度はその破綻も前借りして調整に使うという裏技の裏技みたいなやりかたです。現在の閉塞感は「このままでは未来は破綻するかもしれない」と思いながら現在を生きることから生まれるのではなく、いま生きている現在こそがすでに破綻が確定している未来をファクターとして駆使して維持されていることから生まれているのではないかと思います。そこに生み出される絶望は「未来は現在を構成する不可欠の要素としてもうすでにここに来ていて、しかもそれはもう破綻している」というとても込み入った構造になっています。

自分にとって必要なものを見出していく自由

「既存の問題設定をインストールするだけのやりかたじゃなくて、自分が立っている場において、その条件を自分に引き受けて、自分が自分のなかで求めていく価値を見出していこうとする」それが自由ということなんだというわけですけれど、それは関心の持ち方の問題だと思います。自分自身に対する関心、そして自分が生きている場、それは自分が学んでいる所、働いている所というごく狭い場から日本、世界、宇宙という広い場にまで広がっていくと思うんですけれど、そういう場に対する関心、そこから出てくるものだと思います。自由はそこから始まるのです。

「欲しいものを手に入れられる自由」というアプローチと「自分にとって必要なものを見出していく自由」というアプローチの違いは非常に大きいものがあります。前者は既製品の受動的な享受であり、後者は能動的な創造です。前者はきっかけが制度的にあたえられているかどうかの問題であり、後者はその過程をやりぬいていくための実力があるかどうかの問題です。

そして、さらにその手前には、心の持ち方みたいなところがあって、どんなに小さなことでも、何かについて、自分で一所懸命に考えて、試してみて、作ってみて、それをみんなに見せたりしたことがある人間は、すでに後者の意味での自由の端緒に達しており、実力に関する自問、つまり「何がしたいか」「何ができるか」「何が必要か」などの自問を続ける過程に入っています。こうしたスタートラインに立ったことがあるかないかの格差はこれから非常に重要になります。

特に、いまのような状況のもとでは、その違いは決定的です。この没落していく社会のなかで生き残るには、生きていくうえでの自分自身のイニシアティヴがどうしても必要なのです。自分ってどういう人間で、何ができるのか、自分というものを考えてみる。そして、自分のやりたいこと、やれること、こういうことをやって生きていこうという意思をはっきりさせていく。それがあれば、貧しくても拙くても、自由に生きていけるんです。それがわかりさえすれば、腐敗の淵に沈まないですむ道が見つけられるんです。そして、それはその人自身でなければ見つけられないのです。

その出発点のところ、つまりだれでもができる自問や自省、それができなくされているんです。だから、自由の出発点に立てない。立てなくしているのは、国家や政治権力ではなく、社会のありかた、個人と社会との関わり方が自由の出発点を阻害しているからなんです。社会そのものが、社会の構成員に対して依存的で幼児的な態度を植えつけるような方向でまわっているからなんだと思います。それ自体が抑圧や強制によってではなく、子供のような依存的態度を社会全体が広範に許容し維持していく共依存的関係に巻き込んでいくことを通じてなんです。

大衆消費社会は、そういう方向を促進するようにまわっているのです。日本では大衆消費社会は一九七〇年代にはすでに成熟していたと思いますが、そういう心性はまだ支配的にはなっていなかった。ところが、アメリカにおいては、ずっと早かった。それはすでにクリストファー・ラッシュが一九七〇年代の終わりに『ナルシシズムの時代』[*]で明らかにしているとおりです。彼がそこで「ナルシシズム」と言っているのは、まさにいま日本社会にも現れている「わがままだけど主体的な自我がない」「自問や自省を忌避する」「依存的で幼児的な」心性と非常によく似ているものです。ラッシュはメラニー・クラインをはじめクライン学派[**]から影響を受けていると思われるので、社会に潜在するこのレベルでの問題をとらえることができたんだと思います。

* *The Culture of Narcissism: American life in an age of diminishing expectations*, Norton, 1978. 日本語訳『ナルシシズムの時代』(石川弘義訳、ナツメ社、一九八一年)

** メラニー・クライン Melanie Klein はイギリスの精神分析学者で、児童の精神分析を通じて、母子関係を中心とする自我と対象との関係から精神をとらえていく対象関係論を創り上げました。この対象関係論を発展させた精神分析家として有名なのがウィニコット Winnicott,D.W. やフェアベーン Fairbairn,W.R.D. です。

ラッシュのその本の翻訳を一九八一年に読んで、アメリカ社会は爛熟してこんなふうになっちゃってるのかと思いながら、日本はまだここまでは来ていないな、こんなふうになったら大変だなと思った憶えがあります。それが、一九九〇年代から二〇〇〇年代に入った頃に、そのときはラッシュのことは思い出さなかったんだけど、生きた社会の精気をシステムがすっかり吸い込んじゃって、スーパーフラットでデオドラントな社会になっちゃったな、と思った。あの頃に日本でも二〇年遅れでラッシュの言うナルシシズム社会が成立したんだろうと思います。

フリーエージェント社会の自由

一九九〇年代に整備されたシステムとはどういうものか。具体的な問題処理は、すべてマニュアルに従っておこなわれて、トラブルはしかるべき機関に上げられてコンプライアンスという名の法令遵守で処理される。そうやって、現場の自問と自省、したがって個々の担当者の自問や自省は消されていったのです。現場担当者の権限は事実上縮小されてゆく。その一方で、「自己責任」を押しつけるなというリベラル・左翼の言説が現場の責任を解除する方向でそれを助長する。そうやって、現場の力が否定されシステムに包摂されていったのです。

いまの反体制運動というのは、だめになってるシステムに対して、それがだめになってることを認識せず、なぜそれがだめなのかも考えようとせずに、そのシステムを動かしている官僚や政治家たちにプレッシャーをかけて、ちゃんとやれよ、ちゃんとやれよと言ってるだけのような気がします。そういう批判が有効なのは、そのシステム自体はちゃんとしているのに、それをまわしている人たちが能力がなかったり、やる気を失ったりしているからうまく働かないというときだけなんです。でも、いまはそうじゃない。システム自体がだめになってるんです。現代のようにすべてのものがどんどん変わっていく時代において上から大枠を設定してその中で安定を確保しようとすると、変化しつづける状況に対するフィードバックができなくなって、システムがとんでもなく現実離れした珍答を「最適解」として返す現象が止まらなくなります。

にもかかわらず、水が低きに集まるように、新しいヴィジョンを自前で模索できない者たち、そうした人間をはじめとする社会的諸力はどんどん消極的に一極集中して肥大化と弱体化を同時進行で加速させます。これは「消極的集中」とも言うべきものです。この恐ろしいブヨブヨの集合体を体制派は維持しようとするし、反体制派はそれを奪って自分のものにしようとしているのです。

いま必要なのは、新しい秩序を現場から創っていこうとすることなんです。自分たちの内にあるものから出発して、現実と密にフィードバックする柔軟な秩序をさまざまに創っていくことです。これを実現するには、それができる人間が集まって小さな社会を形成するのがいちばん現実的です。そうした小社会では、それぞれの個人が中心になって、さっき言った「実力」を発揮して行使する、そしてネットワークでつながっていく。

それは、アーティストやクリエイター、アルティザンやエンジニアなどのフリーランサーのなかではもともとあったことだし、いまさらにどんどん進んでいることなんです。多中心的に分散化した新しい試みがネットワークでつながりながら連合しようとしている。いまやそこから何らかのヴィジョンが出てきて、新しい普遍的な地平が形成されるところまで行こうとしているように思われます。

それは自然に醸成されるものなのであって、そのためにはそれぞれの人がそれぞれ違った自前のパラダイムを形成しながら、同じような試みを違ったかたちでやって違ったパラダイムを形成している人たちと交流していく、そしてネットワークをつくっていくということをどんどんやっていくことが先決です。

アメリカでは、トランプ政権以前に Rust Belt（錆びついた地帯）といわれていた中西部から北東部にかけてのかつての大工業地帯がいま甦りつつあります。だけど、それは大企業の再興によるものじゃなくて、フリーエージェントの力によるものなんです。USA全体で見ても、フリーランサーがどんどん増えていて、就業者全体の三分の一が、なんらかの形態のフリーランサーになっているということです。*

＊ 野口悠紀雄さんが紹介している FREELANCING IN AMERICA:2017 というレポートに拠りました。このレポートでは全就業者中のフリーランサー率は二〇一七年時点で三五・八％になっているとしており、二〇四七年には五〇・九％と過半数になると予測しています。

日本でもコロナ禍のもとで雇用形態の変化が促進されて、ダブルワーカーやムーンライダーといった半フリーランサーが増えたけれど、これから世界中でフリーランサー化が急速に進んで、フリーエイジェント社会がやってくるといわれています。大企業や大工場、大組織や大機構、そういうものが具えてきた大きなシステム、それはこれまでの近代産業の「量と規模」の経済には合致していたけれど、脱産業化の「質と多様性」の経済には合致しなくなっているからなんです。ということは、これからは、いやでも自立した自由なワーカーにならなければならないということなんです。

人間というのはみずから生産活動をして糧をつくりださなければならない。社会というのは、みんなでいっしょになって糧をつくりだすためにできたんです。その生産の場にこそ自由をとりもどしていく必要があります。それが社会を自由なものにしていく基礎なんですから。

社会のなかでの自由というのは、自分はここの人たちの集まりのなかで、こういうものを作るこういう仕事をするんだっていう場の限定があって、また自分という者はこういうところから始まって、こうやってここまで来たんだっていう個人の限定もあって、そういう二重の限定のなかで考えられなければなりません。そして、そのなかで、こういういいもの、役立つものを作りたいという意欲、目標がある。無限定な自由なんてないんです。場の限定、自分という者の限定、それが自由の条件で、そういう条件に根ざしながら、自分が建てた目標を追求していく――それが生産者の自由の出発点なんです。

場の条件、自分の条件を充分に活かして、目標を実現していこうとする。それが生産者の自由というものです。自由というのは、こういうふうに、自分というもの、自分のいる場の限定のなかから、自分が内に体現している秩序を外に向かって実現していこうとするところに成り立つものなんです。自分自身の内から湧いてくる力を他者に及ぼそうとするところにこそ自由が成り立ってくるんです。

責任を取る権利

ところが、世の中はそうなっていない。むしろしっかりと責任をもった自己固有領域を嫌う体質になっていて、責任問題が完結しないでたらい回しにできるような構造ができている。そして、その回路を通じないと万事が回らないようになっている。言い換えれば、これは常に誰かに甘えつつ誰かのせいにする精神こそが社会性といわれるものの本質になってしまっているということなのです。そして、これが「薄い人格障害」とでも呼ぶべき依存的な性格に市民権をあたえてしまっているのではないかと思います。

それによって、「薄い人格障害」に落ちこんだ人たちが「公認された市民」として市民社会を構成する、そういう市民社会になってきているんだと思います。たとえば「権利」という概念は自分たちのなかで確証して強めていくものではなく、公共に対して不満の改善を要求できる資格のようなものにすっかり変質してしまっています。「権利」すなわちrightというものが、もともとの「正義」という意味から離れて、依存的な「してもらう」権益みたいなものになってしまっている。これは「誰かに何かをしてもらう」ことを当然のことと見なすお客様的な性格のものなので、こうした権利意識にとらわれてしまうと、前に問題にした「実力」というものからどんどん離れていきます。

システムが充分に機能するためには末端は自己決定なんかしないほうがいいってことになってしまっているんです。末端は自分で考えて決定なんかしないほうがいいってことになると、そこには責任なんてないっていうことになります。決定権限がないところに責任はない。そして、責任のないところに自由はないんです。自己責任つまりself responsibilityというのは、自分に向けられた問いかけに自分で（self）応答する（response）ことができるということ（ability）なんであって、自己に依拠して自律して生きることなんです。その自分で応答することができなくなっているのは自己決定が奪われているからなんです。

そういうふうな自己決定＝自己責任が連動しない関係で仕事をしているから、仕事以外のところでも自分の責任ということを考えず、すべてにわたって、ただ「自己責任を押しつけるな」としか言わないようになってしまうんです。リベラルだとか左派だとか言われてる人たちが、それを促進する。

こうして、システムの管理の側も、システムの構成部分の側も、どちらも自由と責任をもった「生きた労働」を求めようとしないことになっている。その結果、「生きた生活」を求めようともしないことになるんです。「死んだ労働」で得た賃金で、無条件・無拘束の選択の自由をもった消費生活をするのを「自由」だと思ってしまっている、というか思わされてしまっている。

そういうなかにあって、僕らが自由になるためには、権利を権利たらしめる必要があるのであって、そのためには一見逆説的に思えるけれど、「責任」を求める必要があると思うんです。これは俺たち自身の問題なんだから、俺たちの責任でやらせろっていうことです。これは自由と実力という問題とも関連しています。

命じられたことをそのままやって惨事を招いた。そのとき、責任は命じた者にあるのだから、俺たちは関係ないよと涼しい顔をしていられるだろうか。自分たちの責任でやったのなら、責めを負って償えるのに、自分たちがやってひどい結果になったのに、それを償えないなら、それはものすごい負い目です。そういう状態は、子供が一人前として扱われないのと同じことで、自分でやったことの責任を自分で取れない状態においては、他者による支配は深化します。だから、実行する当事者が責任をもって自分たちの判断でやれるようにしろっていうことを要求する。つまり「責任を取る権利」をよこせってことです。それが自治であり、自己統治ということなのです。そして、民主主義って、self government、自己統治ってことなんですから。*

＊　責任を取る権利については、『単独者通信』掲載の自治社会論ノート3「責任を取る権利」を参照してください。http://neduemittelalter.blog.fc2.com/blog-entry-64.html

やるべき課題が学校や会社からあたえられるものでしかない人にとっては、責任というのも同様に自分自身には関係なく外から押しつけられるものになってしまっています。だから責任なんてないに越したことはない。自己責任領域の確保こそが自由の足場になるのだということは、ほんの些細なものでも自発的活動領域を確保したいと思って行動したことがある人なら実感できることなのですが、そうでない人にはそれがわからない。わかる人間とわからない人間の間には自由や責任の観念に関してほとんど正反対と言っていいぐらいの認識の違いがあります。けれど、今後もし自己統治を指向する民主主義が再生するなら、結局このことが実感できる少数者の自発的コミュニティから始まっていくしか道はないんじゃないかと思います。○

主権型自己統治としての近代民主主義の元祖であるルソーも、実は『社会契約論』のなかで、このような自己統治は大きな単位では難しいということを認めていました。もっと下の小さな単位から創り直していくしかないのです。Rebuilding from below です。

「生きている」ものと「死んでいる」もの

ここで、自由というものを生命的な比喩で考えてみたいと思います。いちばん基本的なとらえかたとして、「生きている」状態と「死んでいる」状態を考えてみます。

「生きている」状態というのは、複雑な現実を直接フィードバックする働きを活発におこなえている状態で、このフィードバックを通じて有機的なネットワークをみずからつくりだして、みずから増殖する力をもっている状態、いわば固有の生殖能力をもっている状態です。これは日本酒でたとえるなら生酒のイメージなんです。生酒というのは火入れして菌を殺す処理をしていないので、出荷後もまだ酒の中で菌が生きていて、それが環境に応じて活動することで酒の風味を変化させていきます。この独特の複雑性が魅力であると同時に管理の難しさでもあるのです。

「死んでいる」状態というのは、現実と直接フィードバックする力を失っていて、まったく働いていないというわけではないのだけれど、特定の機能に固定されてしまったまま、システムのなかに部分として組み込まれてしまっている状態です。それは、それぞれが単純化してしまっていて、有機的なネットワークを自生的につくりだすことがもはやできない状態、いわば去勢された状態です。Aが勝手に何かに結合してBを生み出したり、A'に変質したりすることがない。

そうであるがゆえに、この「死んでいる」状態のものを部分として組み込んだシステムは、それぞれの機能を管理しやすいし、繁殖ではなく複製的にシステムを拡大していける。ところが、システムが機能不全に陥ったり、システムが依拠しているパラダイムが現実の変化に追いつけなくなったりしたときに、自力で機能不全を克服したりパラダイムを再構成したりすることができないのです。

社会にはいつも、この「生きている」状態と「死んでいる」状態との両方があって、生の特性と死の特性のハイブリッドで成り立っているのです。そして、いま、これまで「死んでいる」状態のものの特性を活かして達成されてきた生産性、効率性、量と規模の経済といったものがだめになってきている。エンゲージメントの致命的な低下は、そのためです。このシステムが「死んでいる」もので構成されているからこそ普遍的な地平の上で機械的に円滑にコミュニケーションが促進されてきたのですが、それがさっぱり促進されなくなってきたんです。しかし、この巨大システムがゆきわたっているがために、社会をエンジニアリングしていくにはそこから離れることができなくなっているのです。

そういう事態のもとで、情報・才能・バイタリティは、この「死」の巨大システムからどんどん離れていっています。いまでは変化する現実とのフィードバック不全から来る空疎化が顕著になって、こうして離れていったものたちが、「生きている」状態の特性を生かして分散的な中心を各々にとって最適な場所を選んで形成していっています。

こうして、国の中枢がどんどん情弱化する一方で、世界的な最先端が山奥にあったりすることがもはやそんなに珍しくないというのがいまの状況なんだと思います。彼らはシステムを媒介せず任意に結びついて繁殖する力をもっているので、外からのテコ入れなしに自発的に活性化し、新しい社会の可能性——そこには従来型の社会観から言えば「反社会的」と呼ばれるかもしれないものも含まれていることでしょうが——、そうしたまったく新しい可能性を生み出していきます。

こうした状況は「生きている」状態と「死んでいる」状態のハイブリッドともいえるかもしれないけれど、基本においては混合しないで分離して二重になっているとも考えられます。「生きている」ものには実在社会の論理が働いているのに対して、「死んでいる」ものは公認社会の構成部分になってしまっている、というふうに。

少なくとも一九八〇年代初めまでは、工場や事業所全体の生産組織やサーヴィス組織というのは、現場の単位を「死んでいる」ものとして組織化したシステムだったのだけれど、現場で実際に働いている人間たちおたがいの間の結びつきというのは、「生きている」ものだったのです。だから、前者は「企業社会」、後者は「職場社会」と区別して考えられていたのです。企業社会と職場社会が二重になっている。そして、職場闘争というのは、個々の「生きている」職場組織が全体の「死んでいる」企業組織と闘うものだったわけです。

そういうときには、個々の労働者、個々の構成員が全体をそれなりにつかんで、自分のやってる具体的な仕事と全体の生産過程とのフィードバックが間接的にではあるけれどできていた。「間接的」というのは、職場の生きた社会と企業の死んだシステムとの間にはどうしても断絶が生ずるからです。でも、その断絶を埋めて、それなりにつながったところで生産がおこなわれていたわけです。それは、職場の生きた労働が企業の死んだシステムに生気を吹き込むというところがあったし、企業の経営側の人間もそれを評価して期待するというところがあったからだと思われます。

ところが一九九〇年代以降、その現場の職場組織が「死んだもの」に変えられてきてしまったのです。それは、企業や団体の全体システムを管理し操作している者が、システムこそが生きている生物のようなものであって、その部分である現場はその生物が生きているから動いていられる細胞にすぎないというふうに考えられるようになっていったことによるものです。これは、九〇年代から本格的に進行した日本的経営の解体による企業文化の変化に対応しています。

日本的経営の良し悪しはさておいて、九〇年代以降の企業文化の変化を考えると、生産という点では、それ以前は、生産現場の組織、つまり職場組織が「生きている」から、生産性を上げられていたんです。現場の個々の生産者・労働者が「生きている」、つまりひとりひとりが自分自身が「生きている」活動として生産・労働をやっていたから、生産全体が生きたものになっていた。

そして、そういうふうに生産・労働をおこなっている状態というのが、生産者・労働者の自由の出発点なんです。もちろん、システムの指令のもとに、全体の過程に従属しているところがあるんだから、無条件ではないし、制約されたものですが、でも、その条件・制約をみずから自覚的に引き受けて働いている。そこにおいては、現場に自由な労働という要素があった。この自由を取り戻さなければならないし、発展させなければならない。

奪われた生産者としての自由、言い換えれば生産者的自由というのは、いまでは消費者としての自由、言い換えれば消費者的自由のほうに飲み込まれていっているんです。自由のない労働生活で得た賃金で自由に消費できるからそっちで自由になればいいじゃないかというわけです。

ところが、消費者的自由というのは「生きている」ものじゃないんです。既製品を選択するだけの消極的なものだし、それに精神ということに関して言えば「人格」をもっていないものなんです。そっちに自由が飲み込まれていくことで「人格」をもった生産者的自由が解体されてゆくわけです。

人格の再生

消費者的自由は、なぜ人格をもったものになれないのか。「恒産なくして恒心なし」という孟子の言葉があります。* 恒産がなくても恒心をもつことができるのは一部の立派な人間だけで、普通は恒産がなければ恒心はないんだ、というわけです。そして、恒心がなければ、やりたい放題で良からぬことをしでかすばかりだ、というのです。この言葉は自由の問題を考えるうえでも重要だと思います。

＊『孟子』梁惠王上に「恒産無くして恒心有る者は、惟士のみ能くすと為す。民の若きは則ち恒産無ければ、因て恒心無し。苟くも恒心無ければ、放辟邪侈、為さざるさし」とあります（世界の名著版 p.403）。

このときの「恒産」というのは、財産とかいうようなものだけでなく、仕事だとか地位だとかその人がその社会において何者なのかを規定するようなもの全般を言っているのです。

仕事というのは、課題をどう解決するかというソリューション（solution）を求めるもので、そのソリューションをどうおこなうかというタスク（task）があって、それに対するアプリシエーション（appreciation）すなわち評価というものがある。これら全体を、その仕事に従事している者が自分で自覚できている状態、そしてその自覚を通じて、その仕事の、そしてそれに従事する自分自身の社会的意義を実感できている状態、こうした状態にあるときの仕事が、その個人にとっての「恒産」だと思うんです。そして、そういう意味での「恒産」がその人のなかにあれば、それが「恒心」につながるということです。

しかし、あるときから、仕事において自分がやっていることが全体の生産過程との間、あるいは全体の生産組織との間でフィードバックされない状態におちいってしまうようになった。むしろ、そういうことを度外視して盲目的にやったほうがシステム管理がスムーズにいって、いいんだというふうになってきた。それは、現場の人間にとっては、ソリューションを自分で独自に考えたりしないほうがいいってことになる。それがどんどん進んでいくと、その人が日常の多くの時間をそれに費やして生きている職業というものが、「恒産」に当たらなくなっていってしまう。いまそういうところに来ていると思います。

自分が生きていくうえでの目的や指向性がもてない者こそが量的拡大に魅入られて貪欲になるんです。そして、指向性のない欲望が生み出すのは虚無的な力なんです。これは大衆の心理であると同時に、大衆のパワーを政治的に利用しようとする指導者、このことに関しては反体制側の指導者たちが特にそうですが、彼らの多くも簡単にこの虚無的な力の虜になってしまうんです。そして、そっちに夢中になって、個人の陶冶や人格のありかたなんてことは考えようとしない。

だから、そんな社会に浸かったままでは恒心がもてないんです。恒心喪失を強いてくるようなシステムから離れたところで、恒産になりうるような自立したワークにたずさわっていくことを通じて、ようやく恒心がもてるんです。つまり、いまそれが「社会」だと考えられているものからいったん切れて、そこで自分の生き方を建てられる人間じゃないと、そこに行けないということです。これを実現していくうえでは、非常に少数だとは思いますが、恒産がなくても恒心がもてるような人たちの存在も重要になってくると思います。

社会をどうするかということを考えるには、個人としての自分がどう生きるかというところにもどって考えないといけない状況になってきているということです。そこのところの直観にすべて還元されるのではないでしょうか。いまの時点における自由というのは、つまるところ、そこに懸っているように思われます。

そこにおいては、自分の周りで起きている現実的な問題を第一次的に受け止める器というものがあるかないかということが大きな問題で、その器というのは個人の心と身体の全体なんです。社会や人類の危機を訴える人は多いけど、多くの人たちは主にマスメディアが構成した危機意識のセットをダウンロードしているだけで、自分自身の体験や言語より深いレベルの実感に根差した切実さをもっているようには思えません。

心身全体をもって現実を受け止めることができるか。現実の問題をそこで自分の問題として構成することができるかどうか。問題の構成を出来合いのものからダウンロードするんじゃなくて、自分の心身を挙げて自分のものとして受け止めることができるかどうか。そこが問題なのです。

「器」というと、新約聖書で言われている新しい酒を入れる革袋のことを思い出します。[*]新しい酒というのは生きているんです。生きているので発酵作用が非常に強い。だから、古い革袋だと破れてしまうので、新しい革袋が必要なんです。これと同じで、いま生きて激しく動いている現実を受け入れることができる器に自分がならなければならない。

＊「新しいぶどう酒を古い革袋に入れる者はいない。そんなことをすれば、革袋は破れ、ぶどう酒は流れ出て、革袋もだめになる。新しいぶどう酒は、新しい革袋に入れるものだ」（マタイによる福音書九・一七）

すでに死んでいるものはもう変化しないので、その意味で安定しているし普遍的なんです。でも、こうした公認の死物を自己所有に帰して管理していくための主体では、とうてい今の状況には対応できないんです。こうした主体はすでに意味や価値が確定しているものを相手にしているので、根源の部分が不確定で変化しつづけるもの、理解の枠組みそのものを常に自前で再構成しつづけていかないととらえられないような現実に対応することができません。

それよりもはるか手前の問題として、現代の人たちの多くは何事かを自分に引き受けて自問するということがごく簡単なことでもできなくなっています。これは別の言い方で表現すると「自分自身といっしょにいることができなくて、どんなに空疎なものでもいいから誰かと何かを共有しているかのような時間の中にいたい」という傾向です。僕らは、こうした傾向から全力で脱却しなければなりません。

プレッシャーとブレークスルー

世界全体が深い層で劇的に変化していく一方で、我々が「社会」だと思っている表層においては、さまざまな機能不全とそれにともなう不健康化が起きています。もちろん、さまざまな対策が模索されていますが、そのほとんどは基本的にはみんなが共通して暗黙裡に「社会」だと思っているものを維持するための対策なので、この大きな変動全体を俯瞰して見た場合には、抜本的な改革と呼ばれているものも含めて多くが対症療法的なものです。

こうした状況のなかで、この変動が何か致命的なものをもっていることを無意識に察知しているような人たちは不安を感じて、「自分を根本から作り変えないと、滅亡に運命づけられた社会と心中することになってしまう」というプレッシャーを感じるようになります。これは社会のなかで自分だけが落伍者になる不安とは違います。滅びゆく社会とは違うところで自分と世界を再定義して再構成できないと全滅の渦に巻き込まれるという不安です。

そこでかかっているプレッシャーというのは、文明史で言えば、アーノルド・トインビーが言う「チャレンジ」に似たものです。トインビーは『試練に立つ文明』のなかで、歴史というのは常に挑戦がなされ、その挑戦によって試練に立たされた者が応答をおこなっていくことによって展開してきたのだと言って、大事なのは、そのchallenge and response、挑戦と応答のなかで「生命の飛躍」が起こることだと言っています。エラン・ヴィタール（élan vital）、生命の内的衝動による跳躍です。

日本で言えば、幕末以降欧米からのチャレンジによって大きなプレッシャーにさらされた日本社会が、それへのレスポンスを通じて近代化をなしげたのは、ひとつの挑戦と応答の過程だったのだろうと思いますが、いままた情報化とグローバリゼーションという新しいチャレンジに対してレスポンスをおこなわなければならなくなっているのです。

そのプレッシャーなりチャレンジなりが圧してきていることを時代環境のなかに感じ取れるかどうか。引き受けるものとしての器である人格がちゃんとないと感じ取れないのではないかと思うのです。そして、それが感じ取れて、新しい酒のような生きた現実を受け入れることができた器にプレッシャーが加わると、その器のなかに充満している生きたものがたがいに結合するスピードが速くなるのではないか。

死んだ状態で蓄積されている知識は「これを見せれば社会的に通用する」という手形みたいなものですが、生きた状態で器のなかに入っている知識は火入れをしていない生酒の菌と同じで、環境に応じて自ら任意に結合する力を失っていません。いま「社会」とされているもののなかで死ぬ不安は「生とは何か?」という自問を必ずしも要求しませんが、そうした「社会」から離れて自分を作り直さなければいけないというプレッシャーは、この自問を言語より深いレベルから要求してきます。

これに呼応して器のなかに生きたまま保存されているさまざまな要素が蠢きはじめます。生きた現実が、自己という器のなかで、盛んに発酵してくる。そういうふうに現実を独特のしかたで発酵させることができるのが、それぞれの人間に固有の人格であり、それをさせるのが時代の危機というプレッシャーであるということです。パウロの回心*というのはそういうものだったのではないかという気がします。

＊ 使徒行伝九・三〜二〇によると、パウロがダマスコの近くまで来たとき、まばゆい光が射して、目が見えなくなりました。「サウロ、サウロ、なぜわたしを迫害するのか」（サウロとはパウロのこと）というイエスの声を聞き、目が見えなくなりました。主に促されたアナニヤという信徒がやってきてパウロの上に手を置くと、目からうろこのようなものが落ちて、パウロは聖霊に満たされた、と書かれています。

あのときは、地中海世界全体の危機――それは当時としては人間世界全体の危機と受け取られていたわけだけど――、それに連動したユダヤ民族の危機、そういう危機が生み出したプレッシャーあるいはチャレンジといわれるものがパウロの内面に発酵を起こさせた。そのとき、パウロの内面も一種の危機をはらんでいたわけです。パウロ自身がもつファリサイとしての信仰、自分が弾圧したイエスの信徒たちの言動、それを通じて出てきたイエスの言葉、そういったものが、外からのプレッシャーによって、内でギューッと凝縮されて、すさまじい化学反応を起こしたというふうに考えられるのではないか。パウロの人格の内部に外からのプレッシャーでものすごい力が生まれた。

そうなる前提は「引き受ける」ということにあります。地中海世界全体の危機によって起こっていることを自分の内に引き受けて、ファリサイとしての自分の言動によって起こっていることを自分の内に引き受ける。大事な点は、そのときパウロにとっては生きた問題として引き受けられているんであって、抽象的な命題なんかじゃないってことです。どこかで構成された問題を引っ張ってきたわけじゃないんです。だから、パウロにとっては、地中海世界の危機、ユダヤ民族の危機、自分自身の内面の危機が別々のものじゃなくて、一つのものとしてとらえられていたわけです。本当の危機感というのは動揺する社会の構成要素として受け止められるものではなく、むしろいまある社会ではとらえられない問題が形なきまま直接流れ込んでくることによって起きるのです。

「人間と世界の関係全体を根本から激しく問い直せ、さもなくば全滅だ！」という生のプレッシャーによって、生きた諸問題が濃縮されて激しく運動して、エッセンスを高速で交換しあう光景を想像してみてください。それを引き受けた人間にとってはまさに目もくらむような体験になったんではないかと思います。その中から生み出されたものこそが「いま自分が迫害しているイエス教団の教えの中にこそ自分が信奉するファリサイ派の精髄を実現するものがあるんだ」という凄まじい逆転の直観だったわけです。その直観がものすごい勢いで噴き出してきたわけです。

そういうブレークスルーが、いま、これからの世界の何処かに起きようとしているんだと思います。それが起こるのは、危機による強いプレッシャーを器である人格が受け止めたときです。その器の中は、あるきっかけさえ加わればすさまじいスピードで結合して爆発を引き起こす諸々の生きた問題がギュウギュウの過密状態になっているような気がします。

ノマドの自由へ

コロナ対策をめぐって、こうした社会的な危機に対処するには、中国やロシアのような全体主義的な国家や権威主義的な国家のほうが効率的で、自由主義的な国家は遅れを取っている、今後この傾向が強まるんじゃないかという議論がありました。だけど、ロシアについてはさておいて、中国はまったく危ういと思います。それは、いわゆる「自由や民主主義がないからだめだ」っていうんじゃないんです。

自由主義国家では人権を保障しなくてはならないから「人権コスト」がかかって思うような対策がとれないと言われていますけれど、それは権利が依存的な「してもらう」権益みたいなものになってしまっているからで、実力をもって自由を指向する人たちは、いざとなれば依存の権化と化した「人権」を進んで自己放棄するでしょう。そして同じようなヴィジョンで人権を自己放棄した人たちが仲間として集まって「人権コストフリー」の営みを始めることが可能です。

何度も言いますが、いまのような状況ではそういう自覚的少数者たちによる分散的な活動こそが重要なので、こうした活動が大規模なかたちでは実現できないということはそもそもネックにはなりません。それよりも、現在の中国社会のような状況では、人々の間から本当のモティベーション、個人の内から出てくるインセンティヴが得られないような社会になっていくおそれがあって、そちらのほうが致命的ではないかと思います。

小規模ではあってもさまざまな試みが真剣に続けられていれば、不確定な領域に突入していくときにたくさんの可能性やヒントがえられます。不確定性を制御するために上から何かをかぶせてしまって可能性を模索する自前の小さな試みを圧殺してしまったら、本当の危機のときに鈍重で不活性化した人間しかいないという最悪の状況におちいりかねません。

これは自由主義国家にも起こりえることですが、依存的な権利を自己放棄して自己責任で何かを模索する自由がギリギリ保障されている限り、自由主義国家の方にはまだ可能性が残されています。ただし、可能性が残されているのは市民社会ではなく個人の方においてです。こういう個人を許容しておけば、社会はいずれ彼らに意外なかたちで助けてもらえるかもしれません。

「人権の自己放棄」「人権コストフリーの営み」なんて言うと眉をひそめる人もいることでしょう。でも、それは自分の仕事における自己責任と自己決定ということなのです。考えてみれば、いままでも独立自営業者やフリーランサーはそれでやってきたわけで、IT・AI化やフレキシブル化で労働のありかたが変わってきているなかで、そういう方向性はますます強まっていかざるをえません。また、企業のありかたも変わってきて、自己責任で自己決定してやっていかないと働けなくなっていくんじゃないかという気がします。自己責任でやらなくちゃならないのは確かに大変だけど、それだけに自分の仕事に指図は受けない、思い通りに仕事ができるという面もあります。そういう個人がどれだけ残り、どれだけ生まれてくるかにかかっていると思います。

孤立するだけじゃないかと心配する人もいるでしょう。でも、人間が何かに真剣に取り組むときには、往々にしてそこには何らかの普遍性のようなものが自然にともなっているものだと思います。芸術が良い例です。作者は別に普遍性を表現するために制作をしているわけではない。むしろとても具体的で固有の何かに個人的に惹き寄せられて作っているのだけれど、にもかかわらずそれが多くの人に「まさにこれだよ！」と受け入れられる。真摯な自分事の追求は必ず他のことにもつながっているということです。論語の「徳は孤ならず必ず隣あり」という言葉にも似たようなものを感じます。道義のあることをしていれば、理解者や助力者がかならず集まってくるということです。

でも逆に多くの人は「個人が思い思いに追求していてはバラバラになってしまうから上からの統制は不可欠だ」と考えています。これは別にまちがっていません。でもそれは、多くの人がわがままにはなれても「真摯な自分事の追求」なんてできない現状があるからです。それができている人たちに対しては統制も指導も必要ないし、むしろない方がうまくいく。

マイケル・ポランニーが言っていますが、科学者が仕事をするには科学者がみんなでつくっている普遍性のある巨大組織に属している必要はない、二、三の同じことをやっている科学者が結びつけば、そこにかならず科学の普遍性が成り立っていくんだっていうのです。そこには、はからずも巨大機構やシステムが管理することによって成り立つような普遍性ではない普遍性が生まれてくるのではないかと思います。

それに対して、いまのエリートというのは、巨大機構を管理・統括して所与の課題をどうこなしていくかという役割になってしまっている。自分で課題を設定して自分が使える技術を動員することがまず必要なのに、それができない。だから、優秀な若者は大企業を避けるようになったし、官僚にもなりたくないのです。

野口悠紀雄さんは「産業革命以前の未来へ」と言って、*これからは組織から個人へ、集権から分権へ、垂直統合から水平分業へという変化にともなって、小企業やフリーランサーがどんどん出てきて中世の職人労働の現代版に向かうと予測しています。そうなっていくだろうと思います。「新しい中世」というとらえかたも、そういうところから出ているのだと思います。

＊ 野口悠紀雄『産業革命以前の未来へ』（ＮＨＫ出版、二〇一八年）

と同時に、これは古代農業社会を遊牧民が破壊したときと似ているんじゃないかと思うんです。三世紀から五世紀にかけて、ヨーロッパ農業社会に侵入してきた遊牧騎馬民族によって、いわゆる民族大移動が起こり、氏族共同体社会から村落共同体社会へと社会のありかたが大きく変わっていったわけですが、それは遊牧民がもっていた鉄器と騎馬という新しいツールと非定住という新しいライフスタイルが大きな威力を発揮したからだったわけです。

現代の産業社会にも、古代の農業社会が経験したこのようなインパクトと同じものが違ったかたちで現れているのだと思います。いま時間や空間に縛られず、適当な時に適当な場所で仕事をする人たちを遊牧民に見立ててノマドワーカーと呼んでいるようです。古代のノマドの新しいツールが鉄器と騎馬だったのに対し、現代のノマドがもつ新しいツールはＩＴとＡＩです。そして新しいライフスタイルは、古代も現代も同じ非定形の暮らし方です。われわれが手にしようとしているのは、このノマドの自由なんです。

産業社会の構造を規定してきた工場の哲学が完全に時代遅れになってきて、産業界ではツールとスタイルがどんどん変革を余儀なくされているのに、社会や制度の方は旧態依然のままガタガタの古いツールとスタイルで運営している感じがします。いずれにせよ、いまの社会には、もはやちゃんとした形では動いていないスクラップがあちこちにたくさんあります。しかし、この状況はチャンスでもあります。もう動いていないスクラップから必要な部品を抜き取って集めて、それでオリジナルのメカを造るということができるようになっている。例えばファブラボ[*]の取り組みなんかがそうです。そして、この発想は機械以外の分野、例えば社会制度の問題などにも応用できると思います。

＊ ファブラボ（Fab Lab）は Fabrication Laboratry の略で、３Ｄプリンタやカッティングマシーンなどの工作機械を備えた工房で、ほぼあらゆるもの（almost everything）を造り出すことをめざしています。個人がそこを利用して自分に必要なものを自分で造り出していこうとする社会運動でもあります。

オットー・ギールケが言っていたと思うのですが、中世社会というのは、ローマ帝国はじめ古代社会が残した遺物からいろんなものを任意に拾ってきて、それをうまく使って社会を組み立てたんだっていうんです。近代社会も、そのときの古代社会みたいになりつつあるんじゃないか。だから、死んで亡骸になってるものや捨てられてるものから、これは使えるなというものを勝手にもってきて、オリジナルなものをつくることができるようになってきているんじゃないかと思います。

きっちりとまとまっているものの中から必要な部分だけを取り出すのは難しかったりするのですが、解体傾向にある社会においては逆に任意に何かを引っ張り出してしまうことが以前よりずっと容易になってきている。情報化された社会のなかで育ってきて、新しいツールが使いこなせる人は、それがわかっていると思うんです。

いまここにある生きた固有のヴィジョンを即席で具現するために、死んでバラバラに解体されたかつての普遍性の権化を素材として使うというのはまさに生命の営みという感じがしてなかなかエキサイティングです。情報化社会の中にはこういう生のダイナミズムにつながるような可能性もあってなかなか面白い。

生命の営みとしての、いま・ここにある既存のものの組み換え、それが「いまそこにある自由」、clear で present な自由なんです。それをつかもうじゃないか、ということです。

遠く、彼方にある、抽象的で、つかみどころのない自由じゃなくて、それこそが、いまそこにある、具体的な、自分の手でつかめる自由なんです。それは万人共通な自由じゃなくて、ひとりひとり違う個人に固有な自由です。だから、個人が自分自身でつかまなくちゃならない。自由とはそういうものなんです。

だから、最後に言いたいのは、一言で言うと「自由は内面からしか出てこない」ということなんです。何かを引き受けることに内発的な動機づけができる者の自由のみが次の時代を、そしてそこで生きる自分を準備することができるんです。

「してもらうことを選択できる」自由は死んだ自由であって、それはすでにあるかたちであたえられるお仕着せの自由、実質的には牢獄のように狭く閉じ込められた空間のなかでわがままを言える自由でしかない。

「自分の内から湧き出てくる欲求を自分の責任でやる」自由こそが生きた自由であって、それは自分に課せられた条件をみずから引き受けて、自分の創造力で実現していく自由なんだ。

自由とは、そのようにして自分が関わっている場に自分で秩序を創れることなのであって、それぞれの場で固有に指向されて形成された自由な秩序が、たがいに尊重しあい陶冶しあいながら結びついていくことを通してしか、全体としての自由な社会もできないのです。

いまそこにある自由をつかもう。

編者あとがき

本書は対談「社会の皮膚、社会の内臓」のうちから「自由」に関する部分を抜粋して編集したものです。対談のスタイルのまま収録したかったのですが、諸事情によりできませんでした。

対談は、息が合うと相手の発言が刺激になっておたがいの考えが発展しながら絡み合って、新しい発見が生まれることがあり、この対談にもそういうところがあって、スリリングでした。また、本題から外れた話題が話し合われるなかで、本題にも関わる思わぬヒントが出てきて、面白い展開になったりしています。著述形式にまとめてしまったので、こうした良さが活かせなかったのが残念です。

この対談は、「社会の皮膚」というべきところに現象として現れている事象を看て、その現象がどのようにして生み出されたのかを考えることを通じて、「社会の内臓」というべきところにある社会意識・社会心理を探り、ひとりひとりがどのような精神を建てて生きるべきかを考えようとするものでした。「社会の皮膚」は「自由」というテーマに直接関係ない現象を含めて全体としてとらえなければなりませんが、本書では、それに関する対話を充分に収録することができなかったのも残念でした。

対談「社会の皮膚、社会の内臓」はウェッブ上にすべて公開されていますので、「編者まえがき」に示したように、『単独者通信』のカテゴリ「社会の皮膚、社会の内臓」をクリックして、お読みいただければ、そうした残念がはらされるかと思います。

なお、対談時から何年も経ってしまった部分では、注に参照のため記した新聞・雑誌記事のＵＲＬがリンク切れになってしまっているものが散見されますが、そのままにしました。ご容赦ください。

最後に、本書を上梓するよう勧めていただき様々な助言をいただいた友人の伊藤谷生さん、業界の状況厳しいなか出版をお引き受けいただき多くの助言を賜った同時代社の川上隆さんに心より感謝を申し上げます。ありがとうございました。

●編者略歴
大窪一志（おおくぼ・かずし）
1946年神奈川県生まれ。東京大学文学部哲学科卒業。編集者・著述者。主な著書：『「新しい中世」の始まりと日本』（花伝社）『アナキズムの再生』（にんげん出版）、『自治社会の原像』（花伝社）、『相互扶助の精神と実践』（同時代社）／主な訳書：ランダウアー『レボルツィオーン―再生の歴史哲学』、『懐疑と神秘思想―再生の世界認識』、ホロウェイ『権力を取らずに世界を変える』、クロポトキン『相互扶助再論』（以上、同時代社）

対談　そしお＋さいこ

脱近代の自由――いまそこにある自由をつかめ

2021年12月20日　　初版第1刷発行

編　者　　大窪一志
装　幀　　クリエイティブ・コンセプト
組　版　　閏月社
発行者　　川上　隆
発行所　　株式会社同時代社
〒101-0065　東京都千代田区西神田2-7-6
電話　03(3261)3149　FAX 03(3261)3237
印刷　　中央精版印刷株式会社

ISBN978-4-88683-912-1